CORÍN TELLADO

La colegiala

punto de lectura

Título: La colegiala
© Corín Tellado, 2002
© Ediciones B, S.A.
© De esta edición: enero 2002, Suma de Letras, S.L.
Barquillo, 21. 28004 Madrid (España) www.puntodelectura.com

ISBN: 84-663-0577-7
Depósito legal: M-39.816-2002
Impreso en España – Printed in Spain

Diseño de colección: Ignacio Ballesteros

Impreso por Mateu Cromo, S.A.

Segunda edición: septiembre 2002

CORÍN TELLADO

La colegiala

Uno

—Estoy preocupada, Lewis.

—¿Estando a mi lado?

—Querido, tú no me proporcionas preocupaciones; pero Marco...

Lewis Kane aprisionó las manos de su joven y bella esposa y las llevó a los labios. Las besó apasionadamente, con ternura indescriptible; después elevó su cabeza y clavó los ojos en la mirada azul de Wallis.

—Marco es un hombre hecho y derecho, cariño —susurró suavemente—. Tiene una fortuna extraordinaria, un título antiquísimo y una presencia física de esas que las mujeres modernas consideran de sumo interés. ¿A qué afligirte por él, si se las compone solo maravillosamente? Deja a Marco con sus mujeres, sus licores y sus múltiples placeres. Tú eres mi esposa, Wallis, vas a tener un hijo y tienes, ciertamente, el amor de tu marido.

La joven suspiró. Era bonita, delicada, exquisita... Poseía unos ojos azules, grandes y rasgados, de expresión ingenua, deliciosa. Un rostro ovalado, cuya estructura moderna enmarcaba el cabello rubio de crenchas levemente onduladas. Su tez era blanca y tersa, y a juzgar por su aspecto no contaría más allá de 22 años. Amaba a Lewis con ternura y apasionamiento. Jamás había tenido más novio que él, y Lewis le enseñó lo que era el amor, el calor del hogar, la ternura del matrimonio y el anhelo de esperar un hijo de aquel mismo amor.

Se hallaba sentada en un diván de la alcoba que compartían los dos. La estancia era amplia, lujosa, con un lujo sorprendente y refinado. Él la contemplaba con arrobo. Lewis Kane tendría 32 años, tal vez más a juzgar por los hilos de plata que adulteraban la negrura de su pelo abundante, cuyos mechones caían descuidadamente por la frente morena y un poco plegada en dos arrugas profundas que al reír desaparecían.

Los dedos finos y alados de Wallis se enredaron en los cabellos masculinos, le hizo mirarla y susurró quedamente:

—Precisamente es lo que asusta, cariño. El dinero de Marco, su título, sus placeres y sus amantes.

—¡Querida!

—Marco es un hombre demasiado impulsivo, Lewis —añadió bajito, como si se diera una explicación a sí misma—. Somos diferentes a pesar de ser hermanos. Me consideraría feliz si Marco viniera a participarme su matrimonio. Pero Marco no piensa casarse. Dice y asegura que no tiene madera de casado.

—Y si es así, ¿por qué te afliges? Más conveniente es que permanezca soltero si no sabe hacer feliz a una mujer. Considero a Marco un hombre razonable, Wallis. Tú debes considerarlo como yo, puesto que es leal consigo mismo y con las damas.

—¡Oh, Lewis, no me comprendes! Temo por la vida de Marco, su salud y su bienestar futuros. No todo se soluciona con un puñado de libras, ni con amores fáciles de esos que nacen hoy y mueren mañana. Marco debiera tener una sola mujer, ¿comprendes? Casarse, crear un hogar, dar un heredero al título y vivir feliz y sosegadamente dentro del hogar...

Lewis se puso en pie y después se dejó caer al lado de su esposa. Por la ventana entreabierta penetraba juguetón un rayo de sol pálido, próximo a desaparecer tras la nube que se le venía encima.

—Wallis —susurró él, rodeando con sus brazos el busto perfecto de la esposa—, te atormentas demasiado y no hay necesidad. Cuando tú te casaste conmigo, lord Watson, como único jefe de la muy antigua familia, se opuso a nuestro matrimonio, aduciendo que yo era tan sólo un millonario de ocasión... El hijo de un hombre que empezó a trabajar en el muelle y terminó más tarde haciendo sombreros, y después mantas de campaña... Recuerda, Wallis, los disgustos y las amarguras que pasamos los dos antes de haber conseguido nuestro objetivo. Marco Watson nunca me quiso...

—No digas eso, Lewis...

—No nos engañemos, querida mía. ¿Para qué? Ambos sabemos que lord Watson aún no nos ha perdonado la boda que realizamos contra su oposición.

—¡Oh, cariño!

—Y si él se opuso a nuestra felicidad, ¿por qué vamos a preocuparnos ahora por la suya? Lord Watson ya no es un niño, Wallis. Tiene 30 años, una gran personalidad, una gran posición y no nos necesita para nada.

—En efecto, no nos necesita para nada; pero yo deseo su felicidad y me consta que Marco no es feliz, aunque cuando se reúne con nosotros nos demuestre que lo es infinitamente.

—Wallis —susurró Lewis, dulcemente—, ¿por qué no dejamos todo eso? Marco se halla muy lejos ahora. Tal vez no regrese a Londres hasta mediados de agosto y después quizá se vaya a París o a Roma... Marco no te pertenecerá nunca, mi querida Wallis. Es un hombre esclavo de sus gustos, aficiones y placeres. A Marco le importa muy poco el calor familiar que tú y yo podríamos proporcionarle. El pasado verano disfrutó indescriptiblemente en la Riviera. Tal vez este año decida ir a España o a Alemania. Deja a Marco con sus mujeres y piensa sólo en tu hijo y en tu marido.

Quedaron silenciosos. El rayo de sol habíase ocultado bajo la nube que lo perseguía, y las sombras de la noche se cernían en la estancia.

—Cuando nos vimos aquella vez en Nueva York —dijo él, de pronto—, tú estabas en el Hípico sentada junto a Marco y otros dos hombres. —Apretó la mano femenina y añadió quedamente—: Creí que Marco era tu esposo y sentí una profunda desilusión...

—¿Por qué lo recuerdas ahora?

—Lo recuerdo muchas veces, Wallis. Siempre tengo la visión de aquel instante. Más tarde me dijeron que eras la hermana del muy poderoso lord Watson y me sentí decepcionado. Entonces vivía mi padre. Se lo dije. Papá me miró con irritación y dijo algo que no olvidaré nunca. Recuerdo que la pequeña Denise se hallaba acurrucada en una esquina del diván y al oírme levantó sus grandes ojos grises para mirarme inocentemente, con curiosidad tal vez. Y cuando papá se enojó tanto, Denise se echó a llorar y vino a refugiarse en mis brazos. Denise siempre me ha querido como si fuera realmente su hermano.

—¿Y qué te dijo tu padre?

—«Eres un mentecato, Lewis. ¿Qué importa que esa muchacha sea una aristócrata si te gusta? Ve hacia ella, busca quien os presente y si de veras te enamoras pídele que sea tu mujer. Yo siempre he sido un hombre de lucha, Lewis. He perdido alguna batalla, pero gané otras muchas y éstas compensaron mis antiguas derrotas. Tienes muchos millones, busca esposa de tu agrado, tanto si es una aristócrata inglesa como si es una artista americana; pero a tu gusto y si no, no digas que eres mi hijo. Hoy no existen los prejuicios y si esa joven los tiene es que no es una mujer completa.»

—¿Y qué hiciste después?

—Acaricié los negros rizos de Denise, calmé su llanto y me marché sin dar respuesta a mi padre. Dos meses después era tu amigo y un año más tarde te convertías en mi esposa. Creo que Marco nunca perdonará que se te llevara un americano enriquecido en un cuarto de siglo.

—No me importa, Lewis —susurro ella, inclinando la cabeza y besando apasionadamente los labios masculinos—. Tengo tu cariño, vivo en Londres cerca de Marco, aunque él no venga a verme todos los meses, y voy a tener un hijo de nuestro amor.

—Pero te atormenta el recuerdo de tu hermano.

—¡Oh, sí, no puedo remediarlo! Ahora mismo... ¿dónde crees que puede hallarse?

—¿Ahora? Quizás en Nueva York o en Buenos Aires... ¡Quién sabe! Un día cualquiera te anuncia su boda y tus sufrimientos dejan de tener objeto.

—¡Oh, si fuera así!

Un reflejo de luna jugaba ya con las cortinas de muselina. La brisa de la noche penetraba cálida por la ventana abierta. Sonó un golpe en la puerta, y después la

11

voz de una doncella anunciaba la hora de la comida. Lewis se puso en pie, aprisionó la cintura de Wallis, y después la apretó apasionadamente contra su pecho.

—Por encima de todo te quiero —suspiró ella, ahogadamente—. ¡Te quiero, Lewis, te quiero...!

El sol entraba a raudales por el ventanal abierto. Del parque llegaban claras y vibrantes las voces de las colegialas. En la alcoba de la joven hija de lord Winters reinaba un silencio casi sepulcral, interrumpido de vez en cuando por los suspiros de Joan Calhern, quien sentada en una butaquita, con un cuaderno sobre las rodillas y los codos apoyados en ellas trataba de estudiar sin conseguirlo.

—Nunca perdonaré este castigo —farfulló, lanzando el cuaderno al suelo. Lo pisó con rabia, y después avanzó hacia la cama.

Sobre aquella cama había una muchacha, vestida también de uniforme. Una linda muchacha con los ojos claros, brillantes; parecían haber sido formados de chispitas de fuego movibles, coquetones. Y aquellos ojos pertenecían a un rostro terso, juvenil, lleno de encanto y seducción. Un cabello negro, cortado a la moda actual, enmarcaba el óvalo de aquella cara, cuyos rasgos exóticos parecían tallados en la tez por el cincel de un famoso escultor.

—¿Me has oído? No perdonaré jamás este castigo.

El uniforme no se movió. Diríase que su dueña no oía el agrio comentario de su compañera.

—Jamás he sentido placer mayor que bañar en el lago a la tonta ésa —dijo al fin una voz pastosa, llena de ricos matices apasionados, lentos...

—¿Y volverías a hacerlo? —preguntó, incrédula, Joan.

El uniforme gris ribetado en verde se sentó en la cama. El cabello negro, casi azulado por los reflejos que el sol se complacía en poner en él, se movió una y otra vez de arriba abajo.

—Lo haría tantas veces como fuera preciso, Joan. No debes ignorar que yo jamás rectifico. Odio a Teresa Aguisal, la cursi española, y no es ésta la primera vez que la hundo en el lago.

—¿Crueldad?

Los hombros del uniforme se movieron indiferentes.

—No me he preocupado en averiguarlo. Sé tan sólo que Teresa Aguisal me es antipática. Y yo cuando no puedo soportar a una persona se lo demuestro sin rodeos.

—Denise —murmuró Joan, sentándose en el borde del lecho—, tú puedes hacer eso porque pronto dejarás el internado, pero yo estoy empezando.

—¡Bah!

Se arrojó al suelo.

Su silueta grácil, esbelta, de una flexibilidad sorprendente, dio algunas vueltas por la estancia. Después se detuvo junto a Joan y puso una de aquellas aristocráticas manos en su hombro.

—Una buena parte de mi vida la he pasado en este colegio —dijo calladamente, con cierta altanería muy propia de su orgullo de raza— y estoy harta de todo esto, ¿comprendes? Pero si empezara ahora y tuviera que enfrentarme con Teresa Aguisal, veinte, treinta, mil veces me enfrentaría hasta hacer que la aborrecieran o me aborrecieran a mí.

—Eres muy impulsiva.

—Eso dicen. ¡Bah! Estoy deseando salir de aquí, Joan —añadió intensamente—. Mis hermanos vienen a verme todos los años. Me sacan del colegio, me llevan a disfrutar de un maravilloso estío en París, en Roma o en Nueva York... —Hizo un gesto vago y prosiguió—: Pero no es eso lo que yo deseo. Quiero regresar a Londres, organizar mi vida y frecuentar las fiestas de la Corte.

Joan nada repuso. ¡Estaba tan lejos el día en que ella pudiera desear lo que su amiga! Por otra parte ella no era una aristócrata. Jamás podría frecuentar los salones de la Corte inglesa, porque su padre no era un noble, ni siquiera un militar. Era simplemente un hombre enriquecido en la guerra y su nombre era desconocido totalmente en los salones londinenses. Pero aquella Denise Winters pertenecía a una casta antiquísima de aristócratas casi tan antiguas como los reyes ingleses.

Observó que Denise se sentaba de nuevo en el borde de la cama y miraba en torno con aquella expresión tan suya, mezcla de compasión y altivez.

—Estoy deseando dejar todo esto —añadió soberbia—. Nunca pensé que un pensionado resultara tan pesado y aborrecible, Joan —prosiguió con inesperada ternura—: cuando Lewis y su esposa vengan a buscarme, sólo dejaré el recuerdo de tu mucho cariño. No pienso recordar a las hermanas, ni a mis condiscípulas, pero a ti... es diferente. Cuando vuelvas el año próximo a Londres iré a visitarte. ¿Me oyes, Joan? Tú me llamarás por teléfono y yo iré a tu casa. —Hizo una pausa. Un ademán indulgente movió su mano derecha donde brillaba la hermosa sortija que lució en los dedos de todos los Winters—. Somos casi de la misma edad, Joan: pero a ti tus padres te han enviado al colegio cuando casi debías salir de él. ¿Puedes decirme por qué?

—Lo ignoro.

—¿Hay tristeza en tu voz, amiga mía?

Joan torció el gesto. No le agradaba en absoluto que Denise pretendiera ahondar en su pasado. ¿Para qué? No podría jamás enumerar los valores aristocráticos de sus padres, ni siquiera explicar el origen del árbol genealógico de su familia. Y Denise era una joven noble que gustaba de amistades tan nobles como ella misma. Tal vez si Denise supiera que su padre se había enriquecido en la guerra...

—¿Por qué te han enviado tan tarde al colegio, Joan?

Joan Calhern era una muchacha de 17 años, rubia, grácil, de busto erguido, bien definido y modales sencillos, exentos de afectación. Era sencillamente una joven linda, delicada, pero le faltaba la distinción que animaba todos los gestos de su compañera de habitación. Se habían querido desde un principio sin saber por qué. Quizás aquel cariño se debía al mucho orgullo de Denise Winters, cuya caritativa indulgencia se complacía en proteger a la principiante. Joan nunca se preocupó de averiguar las causas por las cuales Denise le ofrecía su amistad. ¿Para qué? ¿Qué más daba, si la hija de lord Winters saldría un día cualquiera del colegio y tal vez jamás volverían a verse?

—Mi familia no pertenece a la nobleza, Denise —dijo al fin con súbito arranque.

—Lo sabía.

—Mi padre es un comerciante. Empezó teniendo un puesto en medio de la calle y durante la guerra ya era dueño de almacenes al por mayor. Tiene mucho dinero, pero carece de nobleza de sangre. Quizá con el anhelo de adquirirla me envió a este colegio donde sólo se educan muchachas distinguidas.

—Tu padre no ha tenido mucho acierto —comentó vagamente—. Los prejuicios de raza no te benefician nada, mi querida Joan. Ahora me tienes a mí, pero cuando yo falte todas esas jovencitas te mirarán por encima del hombro. Eso es casi corriente en este pensionado. —Hizo un gesto con la cabeza, y después se puso en pie—. A mí tanto se me da, querida mía. Eres una muchacha noble y cariñosa y es lo primordial. Bueno —añadió, asomándose a la ventana—. Creo que vamos a volver a clase. El castigo durará una semana, pero tengo la esperanza de que vengan a buscarme antes de ese tiempo. En realidad ya tengo 18 años. ¿Vamos, Joan?

Dos

Vestía un pijama negro, sobre él el batín y en torno al cuello un pañuelo blanco. Era alto, fuerte, de ancha espalda y cintura estrecha. Se notaba en él que practicaba los deportes asiduamente. Era un gran jinete, un buen jugador de tenis y ningún deporte tenía secretos para Marco Watson.

Se hallaba de pie junto a la chimenea, cuyos leños chisporroteaban alegremente. Hundido en un diván con la copa en la mano había otro hombre, un joven moreno, de grandes ojos azules de expresión apagada, casi melancólica. Vestía de etiqueta y llevaba en el ojal un clavel blanco. Entre los labios tenía un cigarrillo que aspiraba a pequeños intervalos. Marco se detuvo frente a él y murmuró:

—Ignoraba que estuvieses en Inglaterra, Ernesto.

—No me he movido de aquí desde que nos vimos por última vez. Esta tarde me han dicho que regresaste al fin y... aquí me tienes.

—Llena mi copa y no bebas tú tanto. —Una rápida transición—: ¿Y tu familia? Ya sé que tu padre continúa en la embajada. Estuve ayer noche con Aguisal.

—¿Con mi tío? ¡Ah, sí! —Irguió la cabeza súbitamente y añadió—: ¿Sabes que me quieren casar con su hija Teresa? ¡Bah! ¡No pienso encarcelarme tan pronto! Además, Teresa es demasiado orgullosa para un rapaz tan sencillo como yo —prosiguió burlón—. Soy español como ella y pertenezco a la familia, pero no quiero casarme aún.

—¿Y dónde está ahora esa española que te quieren adjudicar?

—En el colegio. Vendrá a finales del invierno.

—De aquí a entonces, amigo Ernesto, pueden suceder muchas cosas. —Dejó la copa a un lado y manifestó—: Bueno, iré a vestirme. Estoy invitado a una fiesta. ¿Me acompañas?

—¿Bellezas?

Marco Watson hizo un gesto vago. Era un buen mozo. Tenía además una soberbia cabeza coronada por cabellos negros muy brillantes. Ojos azules, extremadamente claros, de mirar burlón incluso cínico. Había algo en aquel hombre que lo diferenciaba de los demás. Tenía distinción, elegancia, era hermoso como Apolo y arrogante como un rey.

—Tal vez las conozcamos a todas, pero vamos.

Marchó a vestirse. Regresó minutos después enfundado en el traje de etiqueta que daba a su silueta mayor prestancia. Un criado le entregó en el vestíbulo sombrero y gabán. Marco cogió un clavel rojo que había sobre un búcaro y lo puso en el ojal. Después sonrió a su amigo:

—¿Sabes? —comentó éste con cierta ironía—. En la Corte se me conoce por el caballero del clavel rojo.

—¿Sólo por eso?

—Entre las damas sólo por eso —rió el otro con satisfacción.

En el saloncito coquetonamente amueblado se hallaban dos muchachas: Denise Winters y su amiga Ingrid

March. Esta última había sido condiscípula de Denise y ahora que ambas ya gozaban de libertad cambiaban impresiones en el salón particular que la joven Winters poseía en casa de su hermano Lewis Kane.

—¡Oh, Denise, he deseado tanto que regresaras al fin, definitivamente, del pensionado! Ahora ya me siento satisfecha. ¿Cuándo te presentarán en sociedad?

—Lo dejo a elección de Wallis. Tú ya sabes que Lewis para estas cosas es un ser inútil, pero Wallis es una mujer que pertenece a la aristocracia y me ayudará. Yo quiero mucho a Wallis, ¿sabes, Ingrid? Sentí una gran alegría cuando supe que Lewis se casaba con una mujer noble. —Quedó pensativa y añadió bajito—: Tal vez por eso experimenté honda simpatía por Joan Calhern. ¿Tú no conociste a Joan?

—Claro que no ¿Ignoras acaso que salí del colegio hace dos años? Soy feliz, Denise. Muy feliz.

—¿Amas?

—¡Oh, no! Pero ¿qué importa eso cuando pasas la vida de fiesta en fiesta, de salón en salón? Verás, te voy a enumerar lo que hago durante el día: Por la mañana voy a la finca de Alicia Stitch. Tengo un caballo maravilloso que me regaló papá el invierno pasado. Disfruto horrores recorriendo todos los contornos con Ali y sus amigos. Luego al regresar tomamos el aperitivo en el club. Leo un poco hasta las cinco y después...

—¡No continúes! —chilló Denise, horrorizada—. No pienso hacer esas cosas, Ingrid. Yo tengo que ignorar cada mañana lo que voy a hacer al día siguiente. Las diversiones premeditadas las detesto. Amo lo imprevisto, ¿comprendes? Y pienso organizar mi vida de otro modo, te lo aseguro.

—¡Bah! Todas decimos igual al principio y luego terminamos claudicando. Lo primero que tienes que hacer es presentarte en la Corte. Después la vida por sí sola te irá dictando el camino que has de seguir. A todas nos pasa igual, Denise.

—Pero tú te diviertes.

—Indescriptiblemente.

—¿Lo ves? Yo no podría divertirme así.

Alcanzó el cigarrillo que la otra le entregaba y lo miró burlonamente.

—Nunca he fumado —manifestó con vaguedad—. Y no pienso hacerlo jamás. Ten, no lo quiero.

—Siempre has sido diferente a nosotras.

—Nunca lo he pretendido.

Ingrid March, un poco decepcionada, se despidió minutos después de su amiga y ésta corrió al saloncito de Wallis, ansiosa de permanecer a su lado horas interminables. ¡Era tan dulce Wallis y tan distinguida y amaba tanto a Lewis...!

La hermana de Marco la recibió alegremente. Se hallaba envuelta en un salto de cama y permanecía recostada en el diván con los ojos abiertos clavados en el techo. Denise, tan impulsiva como siempre, corrió hacia ella, la besó en ambas mejillas y se sentó a su lado.

—¿En qué piensas, Wallis?

—En nada determinado.

—Dímelo.

—Verás, primero pensaba en Lewis. —Miró a Denise y apretó las finas manos de la joven con cálida ternura—. ¿Sabes, Denise? Nunca te cases por casarte, ni por llevar un hombre elegante a tu lado ni por vanidad ni por orgullo. Cásate por amor y serás infinitamente feliz. Lewis no es un Apolo ni un caballero demasiado elegante. Es más bien un hombre vulgar; pero yo le quiero, ¿sabes? Nunca pensé que pudiera querer a un hombre como quiero a Lewis. Por eso todos los minutos que tengo libres los dedico a pensar en él. Pienso también en el hijo que espero y en mi hermano.

—¿Tienes un hermano? —se admiró Denise, ingenuamente.

Y es que ella tenía dos personalidades. Una, la que manifestaba ante sus amigas. Entonces, Denise se convertía en la aristocrática Winters, orgullosa, un poco déspota, altiva y fría. Ante sus hermanos era sólo la pequeña e ingenua Denise.

—Claro, querida. Creí que ya lo sabías.

—Pues no. Nunca le he visto, ¿verdad?

—Pienso que no.

—¿Y le quieres mucho?

—Le quiero porque no es feliz.

—¿Está casado?

—¡Oh, no! Tal vez no se case nunca. Por eso precisamente temo por su felicidad.

—¿Y no viene a verte?

Los ojos de Wallis se ensombrecieron.

—Muy pocas veces. Se hallaba de viaje y sé que ha llegado uno de estos días. Y ya ves, no ha venido a casa. Y antes me quería mucho, ¿sabes? Me quería con locura, pero desde que me he casado...

Denise la miró fijamente.

—No sé por qué me parece que tu hermano, Wallis, detesta a Lewis.

Wallis inclinó la cabeza sobre el pecho y suspiró.

—Pero yo le quiero igual o tal vez más —dijo bajito.

—¿Te refieres a tu hermano?

—¡Oh, no!; me refiero a Lewis.

—Me gustaría conocer a tu hermano.

—Tan pronto como te presentemos en sociedad te hartarás de conocerlo, Denise. Él siempre anda por todos los salones elegantes. —Acarició la cabeza de abundantes cabellos negros y añadió, susurrante—: Denise, me gustaría que mi hermano tropezase en la vida con una mujer como tú.

Los ojos muy claros de Denise se elevaron súbitamente.

—¿Una mujer como yo? —rió coquetuela—. ¿Crees, acaso, que un lord Watson lleno de soberbia experiencia podría enamorarse de una criatura ingenua como yo? ¡Qué cosas tienes, Wallis!

—No me refiero a ti precisamente, Deni, sino a una joven ingenua y noble como tú eres. Temo por la felicidad de Marco...

—¿Se llama así?

Wallis asintió en silencio.

—Es un nombre bonito. Algún día conoceré a tu hermano, Wallis, y quizá no me crea tan ingenua como tú me crees.

Wallis la besó en ambas mejillas, y después palmeó cariñosa el hombro casi infantil.

—Anda, no malgastes el tiempo en departir conmigo. Ve a dar una vueltecita en el auto que ayer te regaló Lewis. Conoces Londres perfectamente y ya sabes dónde puedes encontrar a tus amigas.

—¿Amigas? ¿Crees que voy a vivir pendiente de ellas? Oh, no, Wallis... Todas mis condiscípulas han cambiado mucho. Esta mañana ha venido Ingrid March y ya no es como antes. Hay algo en ella que la aparta de mí. Tal vez se deba a sus aires de mundología, al lenguaje rebuscado, a sus maneras un poco ampulosas... Yo soy orgullosa —añadió pensativamente—. Todos dicen que lo soy. Tal vez acierten, mas en el fondo de mi corazón experimento honda repugnancia por todo lo que divierte a mis amigas. Quizás aquí radica mi orgullo, aunque yo no estoy de acuerdo en admitirlo así. Soy más sencilla, ¿sabes? Más bohemia tal vez y por eso detesto a mis antiguas compañeras de pensionado.

—Me agrada tu modo de ser, Deni, pero... presiento que por ese mismo modo de ser vas a sufrir mucho. Hay que ser más sociable, querida mía. Cuando yo regresé definitivamente del colegio, Marco dio una gran fiesta para presentarme en sociedad. También me encontré descentrada, insegura en el centro mismo de mi sociedad. Pero más tarde me adapté y fui feliz.

—No obstante, te casaste a tu gusto. Ninguna de tus amigas lo hubiera hecho. Renunciaste a tus costumbres, te consagraste a un solo hombre, le diste toda tu vida... —Apretó los labios y añadió, bajito—: No sé por qué dicen que soy orgullosa, cuando en realidad estoy dispuesta a encontrar un verdadero amor para consagrarle también toda mi vida.

—Y lo encontrarás, Deni. Lo mereces mucho. Y lo encontrarás.

El cochecito verde quedó aparcado junto a la acera, y la gentil figura femenina atravesó la calle. Vestía un modelo de tarde oscuro y sobre él un abrigo de pieles. Parecía más femenina y más gentil. Sus ojos muy claros chispeaban con la satisfacción de verse al fin lejos de la cárcel que suponía el pensionado. Era una joven libre, hermosa y apasionada. La vida le brindaba la felicidad y ella estaba dispuesta a aprisionarla aun a costa de todo, de la sociedad a la cual pertenecía, de los prejuicios que la cercaban y de la existencia misma que podría exigirle algo mejor...

—Por favor...

Se detuvo en seco. A través de la puerta encristalada un poco entreabierta llegaba la música del salón, el rumor un tanto apagado de conversaciones y el alegre eco de las risas juveniles.

Miró al hombre. Era rubio, alto, un poco desgarbado. Vestía con la mayor corrección, aunque algo descuidadamente. Se le notaba un aire de indiferencia total hacia todo aquello que estaba sucediendo dentro. Tenía los ojos verdes brillantes, cuajados de chispitas doradas. Había humorismo en aquella mirada y una alegría exenta de dicción.

—¿Qué desea? —le preguntó Denise con vaguedad.

—Una instantánea.

—¿Qué?

—Voy a captar súbitamente —dijo con ironía— el perfil de su cara. Y mañana lo verá usted en los periódicos.

—¡Ah, vamos, es usted un periodista!

—Y un rendido admirador de su belleza.

—Muy amable. ¿Puedo pasar?

Él estaba atravesado en la puerta. Tenía el rostro muy moreno, curtido por el sol, y en medio de aquella cara simpática los ojos continuaban brillando inusitadamente.

—¿Y la instantánea?

—Por favor, no sea pesado y déjeme entrar.

—¿Entrar? ¿Sabe usted la barahúnda que hay ahí dentro? Verá. Observe mi rostro. —Puso una expresión burlona, afeminada y musitó con voz de falsete, remedando a las supuestas señoritas que podía haber dentro—: «Querida mía, cuánto has tardado. Esto está soberbio, formidable...». Ahora un hombre poniendo cara de idiota: «Oh, amada mía, yo te juro que jamás hombre alguno te querrá como yo». Y ahora llegando al salón...

Denise no pudo por menos, de soltar una carcajada.

—Es usted un hombre simpático —dijo, espontánea—. Pero déjeme pasar. Estoy por afirmar que nadie me conoce ahí dentro.

—Tanto peor. La mirarán como si fuera usted la Venus de Milo arrancada de su pedestal. Y eso es terrible para una joven inexperta que tiene que someterse al estudio de varias miradas.

—¡Eh! Pero ¿qué se ha creído?

El supuesto periodista escondió el encendedor que era en realidad una máquina fotográfica y encogió los hombros.

—La verdad es que sólo deseaba invitarla yo. Pero no cruzaré esa puerta por nada del mundo. ¿Viene conmigo? Le garantizo un final de tarde encantador.

Denise ni siquiera miró hacia atrás, cuando con rabia empujó la puerta y penetró en el salón de té.

Al otro lado de la puerta quedaba el hombre sonriendo aún. Pero su sonrisa no era la de un cínico, era más bien la sonrisa de un niño grande que ha cometido una travesura.

Denise, un poco inquieta, sintió sobre ella las miradas de todos los concurrentes. Pero de súbito sus ojos se clavaron en Ingrid. Aliviada fue hacia ella y se dejó caer en medio del grupo en una cómoda butaca.

—Creí que no podría encontraros —dijo, suspirando.

Ingrid la presentó, y Denise se familiarizó pronto con sus nuevos amigos. No quiso bailar, pero siempre tuvo a su lado un amable compañero que le hizo la tarde demasiado larga o demasiado corta.

De súbito, la puerta encristalada se abrió un poco y por aquella rendija entró el desconocido.

—¿Quién es? —preguntó a Ingrid.

—¿Ése? —Interrogó la otra, desdeñosa—. No lo sé con exactitud. Pero lo tengo atravesado aquí. —Y señaló la garganta.

Si a Ingrid no le era simpático, a Denise sí, sobre todo por el simple hecho de no agradar a su amiga.

Una muchacha dijo:

—Creo que es redactor de un periódico muy famoso. Sé también que tiene a su cargo los ecos de sociedad y la sección deportiva. Una o dos veces por semana aparecemos en una columna completamente ridiculizadas. Lo odiamos porque él nos odia a nosotras. Firma de una manera absurda.

—¿Cómo?

—Jack. Su verdadero nombre lo ignoro. Pero sí debo asegurar que es un impertinente. Con su dichoso mechero nos enfoca cuando menos lo creemos, y después al periódico a decir tonterías y a sacarnos todos los defectos. Ignoro por qué nos tiene esa tirria.

—Algo le habréis hecho —rió Denise.

—¿Nosotras? No. Jamás hemos bailado con él ni siquiera cambiamos una palabra, pero el muy cínico nos saluda al entrar o al salir e inclina la cabeza como si fuéramos conocidos. Claro que todo esto lo hace con una ironía estúpida que hiere.

—Es un hombre original —intervino uno de los muchachos—. Y posee una inteligencia sorprendente. Varias veces le cerraron las puertas del periódico y fue admitido de nuevo. No obstante, todos sabemos que es el periódico que más se vende en Londres. Por otra parte, no creas que se limita a venir aquí o al club. Si asistes a una fiesta de sociedad, Jack se halla en ella; si a una reunión científica allí está Jack, y si una damita hace su presentación en la Corte, Jack no falta, por supuesto. Desde los barrios más bajos hasta los salones más elevados sube y desciende Jack cuantas veces se lo proponga.

—¿Sin autorización?

El joven Daniel Milton rió discretamente.

—¡Qué disparate, Denise! Jack siempre enseña una invitación descomunal. Ignoro quién se la entrega, mas por su calidad de periodista tiene entrada en todas partes. Y cuando tus amigos respiran creyendo que no aparecerá, se abre la puerta y por una rendija se desliza el cuerpo de anguila de su enemigo. Y que estas jovencitas no cometan excentricidades, porque al día siguiente aparecen bien de relieve en la prensa más famosa del mundo. Y si hay una boda y él se casó con ella por su dinero o por otra causa que Jack crea censurable, en los ecos de sociedad ves lo que no ha visto nadie en el momento de la boda. Esto es lo que se llama un adivino. Sí, Jack tiene el don de adivinar lo que el mismo novio o novia ignora. Por eso le odian nuestras amigas.

—¡Cállate ya, Dan!

—Perdona, Ingrid. En realidad estoy diciendo la verdad. —Miró a Denise y sonrió con picardía—. Denise, tú misma te irás dando cuenta de todo. Apareces ahora en el cielo de Londres y, naturalmente, ignoras muchas cosas. Ese hombre, diré por último, y que me perdonen las damitas, es odiado por las mujeres, pero admirado profundamente por los hombres.

A todo esto, Jack no había dejado de mirarles. Se hallaba recostado en la barra, con los pies en los aros de un taburete y sentado tranquilamente en otro. Tenía el encendedor en la mano y un cigarrillo en la boca. De vez en cuando elevaba el mechero y hacía que encendía el cigarro, pero el diminuto aparato descendía y el cigarrillo continuaba sin encender.

—¿Lo ves? —gimió Ingrid, irritada—. Nos está retratando. Mañana por la tarde estaremos todas danzando en la prensa. También tú, Denise.

La joven, que se hallaba ensimismada, elevó la cabeza y sonrió a su amiga con indiferencia.

—Tanto se me da, Ingrid ¿Qué puede decir de mí?

—¿Y qué puede decir de mí y lo dice?

—¿Y de mí?

—¡Oh, callaos, por favor! —pidió James Whilter—. Mañana solucionaréis ese asunto.

—¿Eh? —chilló Ingrid, ahogando el eco de su voz—. ¿No os fijáis? Jack viene hacia aquí. Es la primera vez que trata de enfrentarse con nosotras cara a cara.

En efecto. El joven periodista, sonriente, indiferente y seguro de sí mismo, avanzaba hacia la mesa. ¿Qué se proponía? Denise contuvo la risa. A ella tanto se le daba que se aproximara o no. En realidad, le había resultado simpático. Observó los rostros atirantados de sus amigas.

—Si me pide un baile —dijo Ingrid con irritación— le insulto.

—Creo que no te vas a ver en ese trance —ironizó Dan.

Jack ya estaba allí, tieso, firme, un poco desgarbado, con el pelo tan rubio y los ojos tan verdes chispeando burlonamente.

Miró a Denise tan sólo, tras saludar con la cabeza a los muchachos. Y su voz sonó normal, exenta de alteraciones. Era la voz agradable de un hombre... agradable. Denise se dijo que no se explicaba el porqué del odio que sus compañeras experimentaban hacia él. Y terminó concluyendo que no todo era odio. En el fondo tenían que reconocer su simpatía.

Y como ella empezaba aquel día su nueva vida pensó que no merecía la pena comenzarla acumulando odio en su corazón. ¿Para qué? Además, el periodista era un hombre agradable, sí, y también elegante y simpático.

—¿Me concede este baile? —preguntó, inclinándose hacía Denise.

Dan dio un respingo. Ingrid se creció en la silla. Las otras jovencitas apenas si pudieron contener un suspiro de indignación. James Whitler, el hombre por quien suspiraba la aristocrática Ingrid, rió discretamente, con ironía. Por su parte, Denise ni se inmutó. Quizá todas esperaban una rotunda negativa. Ingrid más que nadie, pero Denise no se parecía a ellas. Tenía una personalidad propia y le importaba un ardite la opinión de sus compañeras.

Sonrió, se puso en pie y colgose graciosamente del brazo que le ofrecía el periodista.

Cuando se alejaron, rompió Ingrid el pesado mutismo.

—Nunca se lo perdonaré a Denise.

—Creo que a Denise tanto le dará que la perdones o no, Ingrid —comentó Dan, burlonamente.

—Bueno —murmuró Jack con indiferencia—, a estas horas sus amigas me están despellejando.

—Fue usted muy osado al venir a pedirme un baile.

Él la miró con fingido asombro.

—¿Por qué? Yo soy un hombre joven. Tengo 29 años. Usted es una mujer joven, libre, feliz y un poco más buena que ellas. ¿Por qué había de negármelo? Además, cuando una muchacha entra en un salón de baile lo más natural es que le guste bailar.

—Pero no nos conocemos.

—¿Conocernos? —rió Jack con burlona mueca—. Eso no se estila hoy. Además a mí no me interesa quién sea usted. Y a usted..., ¿acaso le importa quién soy yo? De ningún modo.

—No obstante, tiene que haber un motivo por el cual fue usted a buscarme a la mesa.

—¿Un motivo? Sí —admitió con naturalidad—. Hay un motivo y se lo voy a decir. Cuando entró usted en el salón, me pareció diferente a las demás. Cuando la vi después sentada junto a ellas, la consideré fuera de programa. Me refiero al programa que yo estoy trazando hoy para despertar la ira de sus compañeras. Por eso fui a pedirle un baile.

—¿Y qué ha sacado usted en consecuencia?

—Pues que no se parece a ellas para satisfacción suya y mía.

—¿...?

—Me gusta usted.

—¿Eh?

—Bueno, no me expliqué bien. No quiero decir con esto que me haya enamorado de usted. Sería absurdo tratándose de un hombre que no tiene nada de vulnerable. Pero me gusta. Es usted una joven simpática, agradable y no siente odio hacia mí. No quiero que me odie nunca. Lo sentiría mucho. Ah, ¿se lo dije ya? Odio el baile.

—Pero... pero...

—Sí, ya —admitió el hombre original con cierta ironía—. Estoy bailando con usted, pero no me gusta el baile. Lo detesto. Y juro que jamás me casaré con una mujer que se deje llevar por los brazos de otro hombre que no sea yo.

—Eso es absurdo.

—No lo es. —Una rápida transición—. Sus amigos se marchan y le dicen adiós con la mano. ¿Quiere usted ir con ellos o prefiere quedarse conmigo?

—Usted es un hombre absurdo.

—No, no. Claro que no soy un hombre absurdo. Soy un hombre que se ríe de lo que está mal y alaba lo que está bien. —Otra transición para interrogar—: ¿Se va usted con ellos?

Ingrid le tocaba en el brazo sin mirar a Jack.

—¿Vienes, querida? Nos vamos al Club.

—Tal vez me reúna después con vosotros. Tengo el auto fuera.

—Seré un hombre absurdo —admitió Jack con naturalidad, cuando observó que la puerta se cerraba tras el grupo—, pero no tan absurdo para comprender que acaba usted de ganar siete puntos en mi concepto.

—¿Y qué puede importarme a mí ganar en el concepto de usted?

31

—Ah, eso no podemos decirlo ahora. Puede importarle mucho o puede no importarle nada. ¿Quiere que nos vayamos? Yo no tengo coche ahí. Si usted es amable me llevará hasta la redacción.

—Está usted obligándome.

—No lo crea.

La asió del brazo y salieron a la calle. El auto verde se deslizó minutos después por la asfaltada calle.

Denise iba al volante y se preguntaba por centésima vez por qué lo llevaba a su lado cuando en realidad acababan de conocerse.

—¿Cómo se llama? —preguntó él, tras un corto silencio.

—Denise Winters.

—Bonito nombre. Me suena mucho.

—Soy hermana de Lewis Kane.

Jack no pareció inquietarse gran cosa, ni se asombró tampoco.

—Ya. Es un comerciante de primer orden —farfulló—. También mi padre lo es, pero yo detesto los negocios, prefiero ser un hombre de letras. Se ventila uno mejor, trabaja más quizá, pero es más libre y tiene menos preocupaciones. Y para un hombre de acción eso es de primordial importancia.

—Es usted un hombre raro.

—Soy un periodista que proporciona muchos dolores de cabeza. Me gusta que me recuerden con rencor. Eso agudiza mi ingenio.

—Lo que significa que está usted orgulloso de sí mismo.

—Nunca fui orgulloso ni pienso serlo jamás. Si existe en mí un atisbo de orgullo, es precisamente que estoy orgulloso de no serlo.

—Una explicación muy rara.

El hombre no contestó. Tenía el rostro rasurado y era, sencillamente, muy varonil. Denise lo miró por el rabillo del ojo y se dijo que a su lado se sentía segura y satisfecha. Lo había conocido aquella tarde y no pensaba dejar en olvido su amistad. Un hombre como Jack es necesario en la vida, y Denise era una mujer razonable, aunque no hubiese cumplido aún los 19 años.

—Ya hemos llegado —dijo.

Jack abrió la portezuela, pero antes de descender, indicó:

—Mañana le hablaré por teléfono para citarnos en un lugar determinado.

—Pero oiga...

—¿Es que no quiere que la llame? —preguntó él, descendiendo.

—Claro que no.

—Muy bien. No se preocupe que no la llamaré.

Agitó la mano y le vio penetrar en el edificio de la redacción. Denise puso el auto en marcha y se sintió rabiosa por aquella absurda actitud del hombre que parecía interesado y de súbito demostraba que no lo estaba. Y a última hora, ¿a ella qué le importaba Jack?

Tres

Acudió a la llamada de Wallis. Caminaba presurosa por el largo pasillo alfombrado, preguntándose qué podía desear de ella a aquella hora de la noche cuando ya se disponía a dormir.

Vestía un pijama holgado y sobre él la bata de gasa blanca, cuya espuma hacía resaltar su femineidad ya de por sí agudizada. Sin maquillaje, exenta de retoque alguno parecía más joven y más linda. Abrió la puerta del salón y penetró.

—¿Me llamabas, Wa...?

Apretó la boca súbitamente. ¿Quién era aquel hombre arrogante y hermoso que vestido elegantemente la contemplaba entre sonriente y serio?

—Deni, quiero presentarte a mi hermano. Y como seguramente no tendremos muchas ocasiones como ésta, puesto que Marco acude a mi lado muy de tarde en tarde...

Denise avanzó con la mano extendida.

—Encantada, Marco. Wallis me habló mucho de ti y deseaba conocerte.

—Eres una muchacha encantadora, Denise —comentó él, francamente deslumbrado—. Te imaginaba muy diferente.

—¿Es que sabías que existía? —rió ella, coquetuela.

—Wallis y Lewis me hablaron mucho de ti.

Denise buscó a Lewis con los ojos y lo encontró hundido indiferentemente en una butaca. Tenía un cigarrillo entre los labios y la contemplaba a ella con inmenso cariño. No eran hermanos y sin embargo, él adoraba a Denise como si en realidad lo fuera. Su padre permaneció solo y libre durante muchos años. Lewis lo recordaba todo como si sucediera el día anterior. Y mientras oía la conversación de Marco con Denise y Wallis, pensaba ahora en el tiempo pasado que guardaba para él un recuerdo grato y dulce.

Papá Kane dejó un día su vida solitaria y se dedicó a frecuentar los salones londinenses. Era un hombre de mucho dinero y para entonces ya nadie se preocupaba gran cosa de hurgar en el árbol genealógico de los hombres que de simples comerciantes se convertían en personajes millonarios. Pero no fue en un salón donde papá Kane conoció a lady Winters. Fue simplemente en una reunión familiar. Se enamoró de ella, con ese amor profundo de los hombres maduros que sienten cómo la vida se acaba y las ilusiones desaparecen y se aferran a ellas con intensidad, furiosamente. Lewis sintió ahora la voz de Wallis que con Marco y Denise organizaba una fiesta en la cual sería presentada Denise...

Continuó pensando y la punta del cigarrillo quemó súbitamente la yema de sus dedos. La depositó en un cenicero y entornó los párpados.

Por entonces él era ya un hombre. Había terminado la carrera de ingeniero y trabajaba como director en una de las fábricas que poseía papá Kane. Un día el caballero se presentó en el despacho de su hijo y le dijo estas palabras: «Estoy enamorado de una mujer y voy a casarme con ella». Lewis encogió los hombros como si aquella explicación hubiese tenido lugar el día anterior. «Haces muy bien, papá», le contestó. «Es que la mujer que yo amo es una aristócrata y tiene una hija de corta edad.» «¿Viuda?», recordó que había preguntado. «Viuda, sí. Se llama Denise y su marido era lord Winters. No ha sido muy feliz, Lewis. A mi lado lo será infinitamente más porque la comprendo.» Se casaron. Nunca podría olvidar el amor que aquella distinguida dama sintió por su padre. Quizá por eso quiso a la pequeña Denise como si en realidad fuera su hermana. Más tarde murió papá Kane. Poco tiempo después la dama, y Denise quedó sola con él. Era su tutor, casi su padre. Había saltado en sus rodillas, la había acunado en sus brazos y la había besado como si realmente fuera su hija o su hermana. Y ahora Denise era una mujer y empezaba a vivir...

—Lewis —musitó la joven, yendo a su lado—. ¿En qué lugar de las nubes te encuentras en este instante?

Lewis sacudió la cabeza y se puso en pie.

—Veamos qué pensáis organizar —dijo, mirando a su esposa y luego a Marco.

Y se extrañó de que el hermano de su esposa por una vez en la vida desde que se casó con Wallis, lo mirara sin aquel aire de supremacía. No se le ocurrió pensar que Marco era un hombre como los demás y que Denise era una joven bellísima.

—Una fiesta para que Denise vista sus galas de mujer —contestó dulcemente Wallis—. Después la presentaremos en la Corte.

—Me parece muy bien.

Marco se aproximó a Lewis y le tocó en el brazo.

—Si preferís celebrar esa fiesta en mi casa...

—¿A qué fin? —interrogó Lewis sin alterarse, pero con cierta inseguridad—. Tenemos un espléndido palacio. Wallis será una gran anfitriona.

Denise observaba a Marco. Lo encontraba bello como ningún otro hombre. Era alto y arrogante y tenía una gallardía insuperable. También sus ojos eran grandes, pensadores, como si bajo su brillo natural escondieran una intensidad extraordinaria. Pero no se sintió atraída hacia él. ¡Oh, no! Amaba a Lewis como si en realidad fuera su hermano o más bien su padre, e intuía que Marco y Lewis no se compenetraban, tal vez ni siquiera se soportaban. ¿Quién tenía la culpa? Conocía lo suficiente a Lewis para asegurar que aquella animosidad no partía de su hermano. A Marco le conocía a través de las charlas de Wallis, lo que indicaba que no le conocía en absoluto.

—Me parece muy bien —admitió Marco, sacudiendo elegantemente la ceniza de su cigarrillo—. Mañana volveré por aquí para saber qué habéis acordado en definitiva. Contad conmigo para todo. Y ahora me voy porque es una hora un poco avanzada y... —miró a Denise de un modo raro y concluyó—: Denise se encuentra incómoda aquí.

Wallis le acompañó hasta la terraza. Denise, seria y rígida, permaneció en medio de la estancia. Lewis se había dejado caer nuevamente en la butaca y fumaba afanosamente su cigarrillo.

—¿Por qué no simpatizáis? —preguntó Denise, sin volver la cara.

Esperó la respuesta, pero Lewis tal vez no pensaba darla, puesto que continuaba fumando indiferentemente.

—¿Me has oído, Lewis?

—Perfectamente.

—¿Y qué me respondes?

—Ignoro qué responderte, Deni. Nunca sentí antipatía por nadie. En cuanto a Marco Watson, se halla demasiado encumbrado para preocuparse de visitarnos con frecuencia y tratar de compenetrarse con su cuñado. —Se puso en pie y aplastó la colilla en el cenicero. Después, sonriente, elevó la cabeza y miró hacia el ventanal, tras el cual se veía la silueta de Wallis en la terraza, frente a su hermano—. Soy demasiado poca cosa para él, mi querida Denise. Tú eres una bella aristócrata y Marco se sentirá muy satisfecho si te introduce en el centro mismo de su sociedad, pero yo me llamo Lewis Kane a secas y le importo un ardite. —Agitó los brazos y acentuó su sonrisa—. Me gustaría que te casaras enamorada del hombre, Deni. Jamás te apasiones con los blasones. El amor proporciona la felicidad, y tal vez los blasones la comprometen.

Calló y miró a la joven que le contemplaba entre entristecida y feliz. Fue hacia ella y le pasó un brazo por los hombros.

—Denise —susurró—. No odio a Marco, te lo juro. Amo demasiado a Wallis para odiar a su hermano: pero no me es simpático. Wallis acaricia la idea de casarte con él; pero yo no. Quiero un hombre para ti, Deni. Un hombre con corazón humano. Detesto a los vanidosos.

¿Por qué Denise pensó por un instante en el absurdo periodista?

La doncella que se hallaba al servicio exclusivo de Denise abrió de par en par las maderas del ventanal y un haz de luz invadió la estancia.

En el ancho y mullido lecho se revolvió Denise.

—¿Por qué me has despertado, Polly? —preguntó abriendo un ojo, estirando un brazo y cerrando el ojo y encogiendo el brazo casi automáticamente—. Deben de ser las seis de la mañana.

—Milady me ordenó que la despertara a las once, y como ya hace varios minutos que el reloj del vestíbulo las ha tocado...

—¿Eh? —chilló, dando un salto en la cama—. ¿Las once has dicho, y yo aún en brazos de ese feo individuo que se llama Morfeo? —Sacudió la melena, la apartó de los ojos y musitó—: Es delicioso despertar en casa, Polly. Muy delicioso. Hace ya muchas mañanas que despierto como hoy. ¿Tú eres feliz, Polly? Dime: ¿sabes en qué consiste la felicidad?

—Decía mi padre que en un puñado de pequeñas cosas.

—Tu padre era un hombre muy inteligente.

—Una rápida transición y añadió, tirándose del lecho—: Prepara el baño, Polly, y elige un vestido bonito para esta mañana. Quiero ir a tomar el aperitivo a un lugar animado.

Se hallaba en el baño cuando sintió la voz de Wallis.

—¿Terminas pronto, querida?

A través del chorro de agua se oyó la voz ahogada de Denise.

—Enseguida, Wallis. ¿Hay alguna novedad?

—Una muy importante al parecer. ¿Qué amigos tienes que te envían cestas de flores descomunales? Porque supongo que Marco no se sentiría tan galante y madrugador.

En el baño hubo un revuelo. Súbitamente se abrió la puerta blanca y Denise apareció con la bata a medio poner.

—¿Dices que una cesta de flores? ¿Y dónde está?

—La traerá Polly ahora mismo. Pero dime, Denise: ¿Quién es el hombre con tan mal gusto que te envía nada menos que una cesta de rosas blancas?

—Eso significa pureza, mi querida Wallis —rió la muchacha, adivinando tras aquel obsequio la absurda figura de un periodista.

—Oh, Deni, significará pureza, pero no me negarás que las rosas blancas son horribles.

Denise, que se cepillaba el cabello ante el hermoso tocador de laca, miró a Wallis a través de la luna biselada.

—¿Que son horribles? Dios mío, Wallis, has perdido la razón.

Wallis se impacientó.

—No me agradan las rosas blancas, Deni. Te lo aseguro.

—A mí me encantan.

Y como Polly aparecía en la estancia en aquel instante cargada con la cesta, ciertamente un poco cargada, Denise se echó a reír abiertamente.

—Esta cesta —dijo convencida— sólo puede enviarla un hombre como Jack. ¿No trae tarjeta?

—No la he visto.

Deni fue hacia la cesta y aspiró con deleite el delicado aroma.

—Aquí está —sonrió, picaruela—. Grandes rasgos, casi ilegibles. Sí, sólo un hombre puede recordarme esta mañana.

—¿Dónde le has conocido, Deni?

Deni refirió el encuentro sin omitir detalle. Después se echó a reír y leyó el contenido de la tarjeta.

A la muchacha más bonita del mundo.

Eres como las rosas, jovencita. Por eso te las envío. Blanca y pura como ellas. Lástima que cambies. El día que aparezcas en mi periódico será que habré dejado de admirarte. Y perdona el tuteo. Como no te veo la cara tanto se me da que te enfades.

A tus pies, bella Denise.

—Toma, Wallis. Lee y dime qué te parece.

—Un poco atrevido. No me agrada que hagas esas amistades, Deni. Todos sabemos que Jack es muy popular y muy inteligente, pero está rematadamente loco.

—A veces los locos son los más cuerdos. A mí me agrada la amistad de Jack.

El auto verde, chiquitito y casi coquetón se hallaba detenido ante la escalinata del palacio que Lewis Kane poseía en uno de los barrios más céntricos de Londres. Denise, muy elegante, muy sencilla y sobre todo muy femenina, salió de la casa, pisó el primer escalón y descendió despacio.

—Ve al Atlantic, Deni —recomendó Wallis, saliendo tras ella—. Allí estarás más segura y yo más satisfecha. No me seas bohemia y procura no ver a Jack. Puede agradarte su amistad, pero no te beneficiará gran cosa.

—No iré al Atlantic, Wallis —repuso Deni, que detestaba las mentiras—. No siento simpatía alguna hacia ese lugar desconocido. Hasta luego, Wallis.

El auto verde se deslizó lentamente. La joven al volante parecía casi una chiquilla. Llevaba el cabello oculto tras un casquete negro y vestía un modelo de mañana de lana oscura muy fina. Sobre él, un abrigo de paño grueso y calzaba altos zapatos.

El auto rodó por el parque y salió al fin. Un hombre recostado en un árbol de la céntrica plaza parecía abstraído. No obstante, al ver el auto, adelantó unos pasos y agitó la mano.

—Jack —susurró ella, desconcertada.

—Bueno. Me deja usted un lugar a un lado o prefiere que me tire por un barranco.

—No quiero llevar semejante suicidio sobre mi conciencia. Suba usted.

Jack se acomodó a su lado con la mayor naturalidad del mundo y extrayendo del bolsillo del gabán la pitillera tomó un cigarrillo y se lo llevó a los labios.

—Es consolador saber que después de una noche de trabajo, me encuentro sentado al lado de una mujer bella y fumando uno de mis cigarrillos preferidos —suspiró, exhalando una bocanada de humo—. ¿Adónde vamos, Denise? Perdone que la llame por su nombre. En realidad, es casi de mal gusto entre jóvenes tratarse con tanta ceremonia —añadió sin transición—. ¿Le molesta, Denise?

—No mucho. Esta mañana en la tarjeta que acompañaba las flores me tuteaba usted.

—Eso era mucho mejor. ¿Probamos a hacerlo ahora, miss Winters?

Denise dejó por un instante de fijar su atención en la dirección del auto para clavar súbitamente los ojos en el rostro sonriente de su compañero.

—¡Vaya! —exclamó, irónica—. Sabe usted muchas cosas de mí.

—Cuando una mujer nos interesa, lo sabemos todo inmediatamente, máxime siendo usted una joven bella y distinguida y teniendo en cuenta además que yo soy casi un sabueso.

—¿Y no se siente usted un poco cohibido ante una auténtica aristócrata inglesa?

Jack soltó la carcajada. Era una risa amplia que abría de par en par el enigma de su rostro. Denise se fijó en la blancura casi provocativa de sus dientes, en el brillo de los ojos verdes que parecían luces encendidas y en la arruga de la frente que se partía en dos. Y es que al dejar de reír, su rostro se crispó un tanto Denise se preguntó en qué estaría pensando, pero Jack era un hombre asombrosamente franco y se lo dijo sin rodeo alguno:

—No me gustaría que se envaneciera usted de su título. Es bochornoso para una joven tan linda, tan ingenua y tan femenina.

—Dicen que soy muy orgullosa, amigo mío.

Jack volvió a reír. Esta vez con menos estridencia, aunque sí con más burla.

—No. No es usted orgullosa, Denise. Es usted una joven encantadora. Y no me explico dónde diablos estuvo usted que no la he visto hasta ahora.

—En un pensionado.

—Ya. Por eso le envié las flores blancas. Por ahora es usted una joven pura.

El auto se detuvo y ambos descendieron.

—Entremos aquí —dijo él, asiéndola del brazo con naturalidad—. Es un lugar animado.

Atravesaron el local. A aquella hora de la mañana no se hallaba muy concurrido. Fueron directamente a una mesa apartada junto al ventanal, en un ángulo del salón, y Jack retiró la silla para que Denise se acomodara. Después, él se sentó frente a ella.

—¿Cree usted que dejaré de serlo algún día? —preguntó Denise, continuando la conversación iniciada en el interior del auto.

—A mi lado, no. Admiro la pureza. Es el don más preciado que debe conservar la mujer, aunque hoy día muy pocas lo conservan. Es una verdadera pena. Tengo una hermana y se halla también en un pensionado —añadió, serio—. Jamás consentiré que se deje acompañar por los hombres.

—Muy bonito. Usted guarda a su hermana y en cambio me sigue a mí asiduamente.

—Yo soy un hombre honrado —afirmó, sonriendo a medias a través de la mesa y con el rostro velado por el humo, dando la impresión de ser algún dios del Olimpo—. A mi lado está usted segura y protegida. Tanto es así que lucharé denodadamente para evitar que la acompañe algún desaprensivo.

—Muy amable. Será usted mi protector.

—Bueno, no he querido decir tanto; pero seré su paladín y su guardaespaldas. Juro que mientras pueda evitarlo jamás un hombre la hará sufrir.

Denise se sintió complacida. No por lo que él decía, puesto que jamás se sabía cuándo Jack hablaba en serio o en broma; pero sí por la simpatía que emanaba de él y hasta por el brillo seductor de sus ojos que parecían no guardar vestigio alguno de maldad.

—Me presentaré en sociedad dentro de unos días, Jack —manifestó ella—. Después habré de frecuentar muchas fiestas. Conoceré a muchos hombres y me veré obligada a alternar con ellos. Creo que por mucho que usted se lo proponga no va a conseguir gran cosa. Claro que, ciertamente, yo sabré defender mi propia pureza. No permitiré que nadie me la arrebate.

—Sí, eso lo dicen todas y de pronto... ¡Bah! Sería mucho mejor, Denise, que perteneciera usted a una clase social anónima. Como la mía, por ejemplo.

—¿Cómo se llama usted, Jack? Mis amigas no han sabido decírmelo.

—Tengo un nombre tan vulgar como yo mismo. ¿Por qué no prefiere ignorarlo?

—Bueno. En realidad no tengo mucho interés.

El auto se detuvo frente a una casa de imponente aspecto. En la amplia planta, que abarcaba tres portales, había un comercio de tejidos. Era anchuroso y elegante, y en letras doradas iluminadas ahora por lucecitas que se encendían y se apagaban a pequeños intervalos, leyó Denise una sola palabra: «Calhern».

—¿Vive usted aquí, Jack?

—En efecto. Mi padre se halla siempre tras el mostrador y mis dos hermanos menores también. Yo detesto eso.

Denise se dijo que aquel nombre le decía algo, pero no se detuvo a pensar dónde y cuándo lo había oído.

—Adiós, Jack —dijo, sacando por la ventanas la mano, que él estrechó afanosamente—. Espero que continuemos siendo buenos amigos aunque mi presentación en sociedad sea una cosa inminente.

—El día de esa presentación, Denise, yo estaré presente. Mi carné de periodista me da entrada en todas partes. Y ya sabe usted lo que dije el primer día que nos conocimos: No me casaré jamás con una mujer que haya bailado en brazos de otro hombre.

—Usted tiene un corazón demasiado oculto, Jack —se burló ella, suavemente—. No se enamorará de una mujer con mucha facilidad. Creo que nunca se casará usted. Y en cuanto a mí... ¡Bah!

—Posiblemente me cueste encadenarme —asintió él, inclinando la cabeza y mirando muy de cerca los ojos bonitos de aquella muchacha—. Pero si lo hago algún día, tiene que ser con usted, pese a su título y todo. Una mujer cuando ama, es sólo una mujer. Y yo quiero a la mujer y desprecio sus títulos y sus millones. De ésos —se burló con amargura—, tiene papá Calhern un centenar, pero a mí no me interesan. Gozo teniendo una sola libra en el bolsillo y gozo más aún pensando dónde podré hallar otra para el día siguiente. Las situaciones preconcebidas me descomponen. Prefiero lo imprevisto, y vivo pendiente de lo que voy a ganar mañana y sufro con un sufrimiento dulce, tal vez algo morboso, pensando lo que será de mí dentro de una semana o un mes. Jamás he admitido una libra de papá Calhern. Y cuando pretende dármela la tiro, la piso, la destrozo y luego me voy y no regreso al hogar hasta pasado un buen puñado de días.

—Es usted un hombre raro, Jack.

—Soy un hombre que detesta los negocios y que busca la forma de hallar un porvenir por sí solo. Mi porvenir está en las letras, en un periódico, en la publicidad. Y llegará un día en que el periódico del cual soy redactor tan sólo, me pertenezca por completo. Papá Calhern se burla de mí. Pero yo sé muy bien que conseguiré mi propósito y entonces le pediré a una mujer que comparta mi triunfo.

—¿Y cómo tiene que ser esa mujer, amigo Jack?

—Como usted ni más ni menos —repuso con intensidad—. Tiene que ser como usted, Denise, y como no existen dos mujeres iguales, ha de ser usted misma.

Y antes de que Denise saliera de su asombro las manos morenas y delgadas de Jack aprisionaron su rostro.

—Como usted, Denise —repitió intensamente, como un eco muy dulce.

Aplastó sus labios contra los de ella y la besó apasionadamente. Y Denise, que jamás había sido besada por un hombre, echó el busto hacia atrás y elevó la mano.

—No se lo perdonaré nunca. Y decía que a su lado estaba segura... —jadeó nerviosamente.

Él la miró aún. Había en sus ojos una ternura extraordinaria, casi inconcebible en un hombre que sólo sabía hablar en broma.

—Soy un estúpido, Denise —susurró él, mirándola tan de cerca que sus alientos se confundieron—. Soy un estúpido, es cierto. Todos lo dicen. Dicen también que jamás pienso con la cabeza y que el corazón representa para mí un artefacto inútil... ¡Imbéciles!

Ella no pudo comprenderlo con exactitud. Lo vio alto, un poco desgarbado, avanzar en la oscuridad de la noche hacia el comercio, con las manos en los bolsillos del gabán y el sombrero tirado hacia atrás. Puso el auto en marcha. Llevaba los labios apretados y los ojos brillantes.

La había besado un hombre. Un hombre como Jack que parecía insensible al amor. ¿Por qué la había besado? ¿Y por qué sentía ella aquellos locos golpetazos en el corazón haciéndole un daño jamás experimentado?

Cuatro

La fiesta se hallaba en todo su apogeo a las doce en punto de la noche. Jamás la casa de Lewis Kane había presentado aquel lujo fastuoso y aquella elegancia muy digna de la mano experta de Wallis Watson. Los salones engalanados, las terrazas iluminadas, rebosaban de invitados, todos pertenecientes a la aristocracia de la sangre, el dinero, las letras y las artes.

Lo mejor de Londres se había reunido aquella noche en el palacio de Lewis Kane, no precisamente para honrar a este hombre, sino para hacer honor a la joven heredera de los muy ilustres Winters, cuyo único descendiente era aquella linda y exquisita muchacha que respondía al nombre de Denise.

Las puertas del suntuoso vestíbulo profundamente iluminado se cerraron al fin. Ya habían llegado todos los invitados y Wallis miró a su marido y sonrió satisfecha.

—Ahora podremos descansar unos instantes, cariño —dijo la joven, apretando dulcemente el brazo masculino—. Estoy francamente rendida y aún no comenzamos como quien dice.

—Denise y Marco harán ahora los honores del salón —dijo Lewis, recostándose en el ventanal abierto—. Ven a mi lado un instante, querida. Has besado tantos rostros y apretado tantas manos que estarás desmayada de cansancio.

—Un poquito tan sólo. Lewis, tengo que decirte algo que me preocupa hondamente. No te lo he dicho durante estos días pasados por temor a equivocarme, pero ahora es diferente.

—¿De qué se trata?

—De Denise.

Los ojos de Lewis centellearon de una forma muy rara, pero no dijo a su esposa que ya sabía a lo que ella iba a referirse.

—Sí. Denise se deja acompañar asiduamente por un hombre.

—Es lo más natural.

—No lo es. Para una joven aristócrata como ella esas salidas diarias con un hombre anónimo, no son de buen gusto ni la benefician nada.

—¿Y bien?

—Pretendo hacerte comprender lo inconveniente de su proceder. Es preciso que tú se lo digas, Lewis. Denise puede hacer un excelente matrimonio y con ese muchacho...

—¿Quién es él? —preguntó Lewis con los dientes juntos.

—¡Bah! El hijo de un comerciante. Se dedica al periodismo.

—¿Es un golfo?

—Que yo sepa no —repuso Wallis, extrañada.

—¿Bebe?

—No lo creo.

—¿Es correcto?

—Lewis, no te comprendo. Nunca oí decir que no lo fuera, aunque parece un hombre extravagante y en cierto modo un poco loco. Pero nunca me dijeron que fuera un hombre incorrecto.

—¿Es pobre?

—Su padre tiene millones.

—¿Son honrados?

—¡Lewis!

—Wallis —dijo él, mirándola de frente—. Tú eres también una joven aristócrata, tenías tanto o más dinero que yo. Podías hacer un excelente matrimonio, puesto que te asediaban muchachos de tu clase. Y sin embargo, te casaste con un hombre que no tenía títulos de nobleza ni era demasiado arrogante. Era más bien un ser vulgar. Sólo podía ofrecerte su gran corazón y dinero, dinero, dinero...

—Lewis —gimió ella, apretándose contra él—. No me hables así, me haces daño. Tú eres diferente. Creo que sólo existe en el mundo un hombre como tú.

—No seas visionaria, Wallis. Hombres como yo existen a miles. Quiero decirte que jamás torceré el destino de Denise. Que se case con quien quiera. Sólo me preocuparé de averiguar si es honrado como yo y si la ama de verdad. No importa que Denise sea hija de lord Winters. También tú eres la hermana de lord Watson y te casaste conmigo.

Wallis inclinó la cabeza hacia el pecho y suspiró. Lewis elevó la barbilla femenina con un dedo un tanto tembloroso y susurró quedamente, besando la boca jugosa:

—Wallis, no sufras, querida mía. No merece la pena. Denise es muy joven aún. Tal vez cambie, pero yo no la haré cambiar... Sé quien es el hombre que la acompaña.

Yo también me preocupo por Deni. La he seguido, he averiguado quién era Jack y no tengo objeción alguna que oponer a esas relaciones. Sé que tenías puestos los ojos en Deni para tu hermano Marco.

—¡Oh, Lewis!

—Pero Marco es demasiado estirado, Wallis. Denise es una muchacha sencilla, vivaracha. Marco nunca llegaría a comprenderla y en cambio Jack Calhern sí la comprende ya. Deja las cosas tal como están. Denise no está enamorada de Jack ni de Marco. Quién sabe aún cuál de los dos se la llevará. Olvídate de todo y simula que no te preocupa lo que haga Denise. Ahora pasemos al salón y bailemos como los demás. Te quiero mucho, Wallis. Y no quiero que sufras.

Denise se sentía nerviosa. Se hallaba rodeada de jóvenes pidiéndole todos un baile. Y ella miraba con intensidad el ventanal que daba a la terraza junto al cual, muy atractivo en su traje de etiqueta, estaba Jack en compañía de dos estirados caballeros.

«No consentiré que la mujer de mi vida baile en brazos de otro hombre.» Ella no se consideraba la mujer de la vida de Jack; pero él la había besado y ella... recordaba aquel beso a cada instante, segundo a segundo, como si lo estuviera paladeando continuamente. Pero aquellos muchachos tenían derecho a bailar con ella. Marco mismo la miraba retador, como si la desafiara. Y ella era valiente.

—¿Bailamos, Denise? —preguntó Marco al fin con ironía—. No irás a decirme que el día de tu presentación en sociedad niegas el placer de un baile a tus amigos.

—Claro que no, Marco.

—Pues vamos, querida.

Una figura larga y desgarbada apareció tras el hombro de Marco. ¿Por dónde había entrado? ¿Es que en realidad lo había visto? ¿Y cómo, si estaba de espaldas hablando con dos caballeros en la terraza?

—El primer baile me pertenece —dijo Jack con naturalidad—. Denise me lo prometió esta mañana.

Marco lo miró de arriba abajo. Denise sintió que el mundo se abría a sus pies y que iba a tragarla para siempre. Lo prefería a ser el centro de todas las miradas. ¿Qué diría Ingrid?, ¿qué dirían todas sus amigas? Además a Jack no le agradaba el baile y jamás bailaba en las fiestas a las que asistía por obligación en representación de su periódico. En aquel instante sintió rabia. Experimentó una profunda humillación. Él no debía ponerla en evidencia hasta aquel extremo. Era bochornoso para ella. Wallis y Lewis la miraban descontentos. Marco se reiría de ella, Ingrid se burlaría con sus amigas. Los demás muchachos sonreían, burlones, como si todo aquello perteneciera a una escena de comedia.

Irguió el busto. Su mirada centelleó de un modo extraordinario. En aquel instante era la joven altiva y orgullosa que fraguaba trampas en el pensionado para derrumbar a Teresa Aguisal. Miró a Jack con rabia y dijo:

—A lord Watson se lo prometí hace una semana, Jack.

Hubo un asombro extraordinario en la mirada masculina. Después se inclinó hacia ella y dijo correcto:

—Lo siento, lady Winters.

Continuó la fiesta como si nada hubiera ocurrido. Jack enfocó el encendedor y éste chispeó. La foto era ya una evidencia, mal que le pesara a Denise. Después se entretuvo en enfocar a otras jóvenes. Contempló el baile con ojos filosóficos y charló y bebió con la misma indiferencia.

Por su parte, Denise bailó hasta cansarse. Sentía un nudo opresor en la garganta y unos deseos horribles de llorar pero era valiente, valiente y orgullosa como todos los Winters. No exteriorizó su desazón ni la congoja que la tenía prisionera. Coqueteó y sonrió a todo el que bailó con ella y, al final, algunas horas después se vio sentada en un banco de la terraza con Marco a su lado.

Marco era un hombre maravilloso. Tenía distinción innata. Era galante, caballeroso y exquisito, pero Denise no sentía hacia él afecto alguno. Sólo simpatía y ésta, ciertamente, muy relativa.

—Mañana vendré a buscarte para dar un paseo a caballo —dijo él, galante.

—Mañana estaré cansada, Marco.

—No digas eso, querida mía. Una joven como tú no debe cansarse nunca. Vendré a buscarte, ¿sabes? Y verás cómo te satisface el paseo.

Ella asintió sin palabras. Estaba cansada, horriblemente cansada, no de la fiesta, sino de todo, de todo...

Como un autómata despidió a sus invitados. Ya casi todos se habían ido cuando Ingrid apareció en la terraza acompañada de Daniel Milton y sus padres.

—Has hecho muy bien, Denise —dijo calladamente, con cierta ironía que irritó a la joven—. Jack es un estúpido. Creo que ya nunca se le ocurrirá pedir un baile a una muchacha distinguida.

Y Denise pensó: «Si Ingrid aprueba mi proceder, es que procedí muy mal, como una imbécil».

En alta voz se limitó a despedirlas con amabilidad. Dan buscó un aparte y le dijo al oído:

—Has hecho muy mal, Denise. Jack no se merecía ese bochorno. Creo que nunca te lo perdonará y me parece lógico.

—¡Oh, Dan!

—Sí, Denise. No debiste hacerlo. Bajo esa capa de indiferente humorismo se oculta un corazón más sensible que el de cualquiera de nosotros. Si se lo hubieses hecho a Marco... su elegante persona no se inmutaría. Pero a Jack es diferente. Yo soy algo amigo de Jack desde aquella tarde. ¿Recuerdas?

Apretó la mano de Dan y nerviosamente miró ante sí como si ya nada tuviera importancia.

Una figura larga y desgarbada apareció tras los últimos invitados.

—Ha sido una fiesta encantadora, mi querida milady —ponderó Jack, sin alteraciones en la voz—. Guardaré un recuerdo de esta noche.

Denise miró en todas direcciones. Marco hablaba con Wallis y Lewis. Dan subía al coche en compañía de Ingrid. Ellos estaban aislados en una esquina de la terraza y las sombras los envolvían.

—Jack —susurró ella, ahogadamente—. Mañana tengo que verte... Es preciso.

Era la primera vez que lo tuteaba y Jack pestañeó. Tal vez hubo emoción en aquel pecho masculino, mas los ojos sonreían humorísticos, quizá burlones.

—¿Y para qué, mi admirada milady?

—Oh, Jack, tienes que hacerte cargo...

—Buenas noches, milady.

—¡Jack!

El hombre dio la vuelta y la miró. En la oscuridad sus ojos brillaron de una forma muy rara. Aquellos ojos verdes le parecieron a Denise más inquietantes que nunca y se estremeció aun a su pesar.

—Es mejor que no volvamos a vernos, lady Winters —dijo él con los dientes juntos—. Sería sumamente peligroso para usted. Yo en su lugar procuraría librarme de Jack. Ya no soy un niño y me gusta usted mucho. Me gusta hasta el extremo... —Agitó la cabeza y dio un paso atrás—. No me busque, Denise. Repito que ya no soy un chiquillo y he dejado de respetarla esta misma noche.

Y ahora su figura desgarbada y elástica se desdibujó en las sombras de la noche. Tenía el auto aparcado allí cerca, y Denise, con los ojos nublados por las lágrimas, observó que los focos iluminaban toda la avenida.

Minutos después se echaba de bruces sobre la cama y, con la cabeza oculta en los brazos, sollozó desesperadamente.

Y recordó aquel beso, sí. Lo recordó como si los labios cálidos y sensuales de Jack estuvieran aún prendidos en los suyos.

No volvió a verlo. Fue inútil que frecuentara los lugares que a él le eran familiares. Jack se proponía huir de ella y huía como un malhechor.

Transcurrieron los meses. Se habituó a ir con Marco a todas partes. Se familiarizó incluso con la idea de ser algún día su mujer. ¡Qué más daba uno que otro, si al fin ninguno había de ser Jack! Fue presentada en la Corte. Asistió a veladas en la Ópera, a fiestas en palacio, a reuniones mundanas que le dejaban un sabor amargo en la boca. No volvió a salir sola en el auto verde. Ahora nunca se la veía por la calle. Jamás iba sola.

Era una auténtica aristócrata inglesa, elegante, distinguida, mundana.

¡Y qué asco experimentaba hacia todo aquello que la empujaba hacia un abismo sin fondo!

«Me casaré como tantas y tantas mujeres —pensaba enfurecida—. Sin amor, por conveniencia, ¡porque mi nombre requiere un matrimonio ilustre!, como mi madre, que se casó con papá porque era el hombre que le convenía, aunque lo rechazara su corazón. Y no conoció el amor hasta que se casó con un hombre que no la obligó a frecuentar los salones, ni las fiestas, ni las reuniones. Vivieron el uno para el otro y yo ansío vivir así también, como una mujer de corazón, no como una aristócrata llena de prejuicios y obligaciones sociales.»

Pero la vida le iba demostrando que todo era diferente a como lo había imaginado e incluso deseado. Vivía empujada por el torbellino de la sociedad, hundida de lleno en su fragor, sin descanso, sin pensar... ¿Para qué? Pensar era una tortura; prefería no hacerlo.

Y así un día y otro hasta que una tarde en que Marco había salido de viaje, decidió dar un paseo en el auto verde, sola y por lugares donde la gente se divertía a su modo, sin pensar en lo que debía hacer para agradar más.

Se lo dijo a Wallis y ésta lo aprobó.

—Voy a dar una vuelta por ahí, Wallis. La casa se me cae encima y no quiero ir con Ingrid ni con Jane.

—Ve, querida. Marco vendrá mañana y ya podréis reanudar vuestras salidas.

Ella detestaba a Marco. Reconocía su elegancia, su mundología, pero no era el hombre que ella deseaba para ser feliz. Marco jamás podría ser el marido amable y cariñoso. Marco era un hombre esclavo de su linaje. Vivía para engrandecerlo, jamás para menguarlo. Y ella era menos metódica y menos exigente.

—Son las siete, Deni. Procura no alejarte demasiado.

Subió al auto y enfiló la calle. Una calle cualquiera. No llevaba itinerario fijo. Iba a la ventura.

Las manos enguantadas aprisionaron el volante y la imaginación voló.

Un año había transcurrido desde que se vio por última vez con Jack. Un año interminable, lleno de recuerdos y de desazones. ¡Jamás volvió a ver a Jack! Ni sus crónicas sociales en el periódico que todas las mañanas subía su doncella a la cama. Lo leía todo ávidamente, pero el nombre de Jack no aparecía por parte alguna. Era como si aquel hombre hubiese muerto. No ironizó jamás con respecto a sus amigas. El periódico dejó de insertar ecos de sociedad: ¿Es que Jack había dejado de trabajar en la prensa?

Un día fue a la tienda de tejidos. Volvió a pensar que la palabra Calhern le decía muchas cosas y no acertó a decir dónde y por qué se las decía. Penetró. Un caballero se hallaba en la caja. Sus rasgos le fueron familiares y, sin embargo, no se parecía a Jack, ¿Por qué le eran familiares aquellos rasgos?

Observó también que dos jóvenes altos y esbeltos, rubios como Jack y con los ojos claros se hallaban tras el mostrador. Se aproximó presurosa y pidió algo. Ignoraba ahora lo que había sido... Pagó en la caja y se marchó. Desde entonces no había vuelto a la tienda de tejidos. Supo después que el padre de Jack, además de aquella tienda, tenía dos fábricas, quizá de las más importantes de Londres. Y otros muchos negocios, los cuales producían ganancias extraordinarias.

El auto se detuvo frente a un salón de té. Las sombras de la noche empezaban a invadirlo todo.

Poco después empujaba la puerta encristalada. La sala estaba muy animada, pero Denise entró sin fijar sus ojos en la concurrencia. Hacía mucho tiempo, un año entero, que no visitaba un salón público y se sintió en cierto modo cohibida. Observó que en el ángulo más apartado del salón había una mesa libre. Avanzó hacia ella sin mirar a parte alguna. De súbito, oyose en la sala una exclamación ahogada y una figura de mujer salió al encuentro de la bellísima joven que avanzaba indiferente hacia la mesa libre.

—¡Denise, amiga mía! —exclamó Joan Calhern, apretando con ambas manos el brazo de su amiga compañera de colegio.

Denise se volvió como si la hubiesen pinchado. Miro a Joan con ojos muy abiertos y de súbito la apretó contra su pecho como si temiera que se le escapara.

—Joan, cariño... —susurró bajito, entre lágrimas.

Joan la condujo de la mano hasta su mesa. Dos hombres se pusieron en pie y dos jovencitas le sonrieron. Denise no se fijó en aquellas sonrisas. Supo tan sólo que tenía a Joan a su lado y que la quería como jamás había querido a ninguna compañera del pensionado.

—Denise —murmuró Joan, emocionada—. ¡Cuánto he ansiado este momento! ¡Oh, Deni, qué largos los días cuando te fuiste y me dejaste tan sola!

Joan era bonita, muy delicada. Rubia con los ojos claros. Denise la miró una vez más y se preguntó dónde y cuándo había visto unos ojos como los de Joan. Pero no se detuvo a pensar mucho en aquello. Ahora tenía a Joan a su lado y lo demás perdía interés.

Apresó sus manos por encima de la mesa y las oprimió nerviosamente.

Los muchachos que acompañaban a Joan se fueron a bailar con sus amigas.

—Son amigos de mis hermanos —explicó Joan ante la muda interrogante de su amiga—. Ellas son mis primas. Dime, Deni. Háblame de ti.

—¿Cuándo has venido, Joan?

—Hace una semana.

—¿Y por qué no fuiste a buscarme?

—Porque... tú ya sabes que soy tímida, Deni. No me atreví. Además, leí en las revistas tus triunfos en sociedad. Vi reproducida tu figura al lado de un lord y me sentí demasiado menguada para ir a turbar tu felicidad.

Denise sonrió de un modo ambiguo. ¡Su felicidad! ¡Qué sabía Joan...! No le dijo nada con respecto a aquella relativa felicidad. ¿Para qué? Tal vez Joan no supiera comprenderla.

—¿Y qué ha sido de Teresa Aguisal, mi querida Joan?

—Ha venido cuando yo. Es una chica muy mona, Deni. Será presentada en sociedad un día cualquiera.

—Sigo detestándola.

—¡Qué apasionada eres! Dime, Deni: ¿vendrás alguna vez a mi casa? Tengo tres hermanos muy agradables. No te lo digo porque vayas a prendarte de ninguno, pero son simpáticos y nos ayudan a pasar las veladas a gusto.

—Iré alguna vez, Joan.

Se puso en pie.

—¿Es que te marchas?

—Tengo el auto fuera y si quieres te llevo a casa.

Joan se levantó rápidamente. Era gentil y muy esbelta, y tenía distinción. Deni sintió de nuevo aquel escozor. ¿Dónde había visto unos ojos como los de Joan?

Ésta se despidió de sus amigos hasta el día siguiente y se colgó del brazo de su amiga.

—Denise, soy feliz, infinitamente feliz por haberte encontrado. Te he recordado mucho. Oh, sí. Después de haber marchado tú, yo fui muy desgraciada, hasta tal punto que pedí a papá que fuera a buscarme. Porque no tengo madre, ¿sabes? Murió cuando yo nací y todos me adoran. Soy una muñeca para los cuatro hombres de casa.

Subieron al auto. Denise se sentía satisfecha por haber hallado a Joan, pero no había visto a Jack tampoco aquella tarde y ello la desconcertaba y la entristecía.

—¿Adónde te llevo? —preguntó a su amiga.

—A casa, claro. Ya es tarde y papá se enoja cuando tiene que esperarme.

Dio la dirección y el auto verde rodó lento calle abajo.

—¿Quién es el hombre que aparece a tu lado en las revistas sociales, Denise? ¿Acaso tu prometido?

—No estoy prometida.

—¿Le amas?

—No.

—¡Qué rotunda, Denise!

La sonrisa de la aludida se hizo vaga y triste.

—¡Bah! El amor es lo que menos cuenta, Joan.

—¡Deni, mucho has cambiado!

—Tú me lo pronosticaste, ¿recuerdas?

—Sí, Denise, pero nunca creí que el cambio fuera tan brusco y tan fácil. Veo en ti algo raro, Deni. No me pareces feliz.

—Pues lo soy a mi modo.

¿Para qué decirle a Joan lo que pasaba?

—Detén el auto ahí, Deni.

La conductora dio un respingo.

—¿Eh?

—¿Qué te pasa, Deni? Has quedado pálida.

La joven aristócrata se repuso al pronto. Ahora comprendía por qué aquel caballero de la caja le era familiar y el motivo por el cual los ojos de Joan...

—¿Qué sucede, Deni? ¿Por qué me miras de ese modo?

—Es que... es que no creí que vivieras en una calle tan elegante, Joan.

—¡Qué cosas tienes! Vivo aquí desde que nací. ¿Nunca te fijaste en este comercio? Calhern es mi padre, Deni.

—Sí, sí. Ahora me doy cuenta. No te conocía a ti como hija de este señor. Pero conozco a un... periodista.

—Ah —rió Joan, feliz—, ¿te refieres a mi hermano Jack?

—Sí —admitió Denise, nerviosamente, deseando saber tantas cosas en un solo instante—, creo que firma de ese modo.

—Se llama así. Pero ahora no os importuna. ¿No lo has notado?

—A mí nunca me importunó —repuso Deni, queriendo aparentar indiferencia—. Nunca reprodujo mi rostro en la prensa. Pero mis amigas lo odian.

—Jack es un ser extraordinario. Ahora dirige él el periódico. Por primera vez recurrió a papá para que le prestara algún dinero. Papá se lo dio y el otro día Jack, todo orgulloso, se lo devolvió íntegro.

Denise contuvo el aliento. Los dedos que se posaban en el volante se crisparon casi imperceptiblemente, pero Joan no notó nada anormal en el semblante de su amiga.

—Será el mismo periódico para el cual trabajaba antes —dijo ella con naturalidad, sin preguntar, afirmando más bien.

—Pues sí. El director se retiró y Jack asumió todas las responsabilidades. A nosotros nos hace mucha gracia ver a Jack, al más loco y despreocupado de la familia, convertido en un serio intelectual. Yo le llamo «el caballero sesudo» y él se ríe mucho. Somos muy felices, Denise, sobre todo cuando llega la noche y nos reunimos en la sala de estar. Papá tiene prohibido a los muchachos salir por la noche y todos, hasta Jack que antes se pasaba horas interminables fuera del hogar, acude al rincón familiar. ¿Vendrás alguna vez a mi casa, Denise? Te aseguro que serás bien recibida. Mis hermanos te harán los honores y tú te reirás de sus gansadas. Porque son algo gansos, ¿sabes? Sobre todo Jack, que se burla hasta de su sombra.

Denise permanecía muda y absorta. Cuando dejó de oír la voz de su amiga, la miró rápidamente y suspiró:

—Vendré un día cualquiera, Joan. Y tú tendrás que ir a la mía. Sólo con esa condición accedo a que me presentes a tus cuatro hombres.

—Acepto —exclamó Joan, radiante, saliendo del coche.

Apoyose aún en la portezuela y suplicó:

—Ven pronto, Denise. Nunca he tenido una amiga tan cariñosa como tú. ¿Recuerdas cómo me defendías de las ironías de nuestras compañeras? Jack dijo que papá no había tenido acierto al enviarme a un pensionado aristocrático. Y el autor de mis días lo reconoció así. Yo les hablé de aquella compañera tan amable y ahora les diré quién eres.

—Es preferible que no lo hagas —sonrió Denise, nerviosamente—. ¿Para qué? Ya me conocerán cuando os haga una visita. —Agitó la mano—. Hasta otro día, Joan. Estoy muy satisfecha por haberte encontrado.

Cinco

El caballero se hallaba sentado a la cabecera de la mesa. A su lado Joan y Jack, y los otros dos enfrente. Allí no había disputas ni desacuerdos. Lo decía papá Calhern, y bastaba. Cuando hablaba Joan, todos callaban y la escuchaban arrobados. Cuando a Jack se le ocurría disertar sobre un tema político, los dos gemelos estornudaban, Joan carraspeaba y papá Calhern se aflojaba automáticamente el cuello de la camisa. Pero si a Jack le daba por hablar de su periódico o de cualquier diversión de la cual había disfrutado como un «bárbaro», ocho oídos prestaban atención. Luego venían las risas, las ironías y las furias del mayor de la familia Calhern.

Un criado iba y venía sirviendo la mesa. El rostro de una negra asomaba de vez en cuando y tras de murmurar unas palabras desaparecía de nuevo. Todos la llamaban «Ama». Había criado a los gemelos, puesto que la señora Calhern quedó muy resentida de aquel parto doble. Luego, cuando nació Joan, la vida de la dama se extinguió y Ama quedó convertida en mamá de Joan: hizo de niñera, de amiga y de consejera. Ahora que Ama tenía muchos años y arrastraba trabajosamente sus pies por los inmensos pasillos de la casona, la consideraban como si se tratara de un miembro más de la familia. Y Ama gustaba de asomar la cabeza por la rendija de la puerta, quizá para convencerse de que todo iba bien en la mesa.

—Esta tarde encontré a mi antigua compañera de colegio —dijo Joan súbitamente, elevando el rostro y mirando los cuatro rostros que se alzaban para escucharla mejor—. He sentido una profunda alegría. Creo que ya os hablé de aquella muchacha que me protegió en el pensionado. Es una aristócrata y, sin embargo, se convirtió en mi amiga más entrañable.

—¿No la has invitado, Joan? —preguntó el caballero.

—¿Y para qué? —desdeñó Jack, con su eterna sonrisa humorista—. No me agradan los aristócratas. Siempre están pensando que hacen un favor a uno con su amistad.

—¿Es guapa? —preguntó uno de los gemelos.

—¿Joven? —quiso saber el otro.

El caballero puso orden. Los miró severo y se volvió luego a Joan.

—No les hagas caso, querida mía. Yo le estoy muy agradecido a tu amiga y tendré sumo gusto en recibirla. Jack odia a las aristócratas, pero eso no impidió hace algún tiempo que paseara a una, de aquí para allá, hasta que la joven se cansó de sus tonterías.

Jack se mordió los labios.

—¿No es cierto, hijo?

—¡Bah! Aquello fue un juego estúpido.

—Pero ¿es cierto, Jack? —se maravilló la joven—. No sabía que estuvieras enamorado.

—¿Enamorado? El diablo confunda a Cupido. No pienso enamorarme jamás.

—Pues ten cuidado con mi amiga porque es bellísima y de una simpatía extraordinaria, además de poseer la bondad más grande del mundo.

Jack encogió los hombros, se puso en pie y acarició el rostro de su hermana con cariño.

—No me interesa tu amiga, Joan —dijo, iniciando el paso hacia la sala contigua—. ¿Quieres bailar un rato? Maldita la gana que tengo, pero me gusta que sepas bailar porque todas las mujeres bailan...

—Es natural —rió uno de los gemelos.

—Natural, ¿qué?

—Que baile una mujer.

—Ya. Pues por bailar me perdió una a mí.

—Se perdió una gran cosa —se burló el otro mellizo.

Jack hizo un gesto avinagrado y después rió forzadamente.

—Tal vez perdió más de lo que ella suponía. ¿Vamos, Joan? Ellos vendrán enseguida tan pronto se tomen el café. Yo detesto ese brebaje.

Traspasaron el umbral y Jack hizo funcionar la radiogramola. Después enlazó la cintura de su hermana y bailó.

—Vas aprendiendo mucho, Joan. Cuando bailes con un hombre que no sea tu hermano ten mucho cuidado. Los hay que bailan por el simple placer de bailar. Otros lo hacen para abrazar a una mujer y otros para exhibir a la mujer.

—¿Cuál es el más peligroso? —sonrió Joan, alegremente.

—El que baila por abrazar. Ésos son temibles. No me gustaría que te encadenaras a un hombre cualquiera, hermana. Los hombres somos malos.

—No pienso enamorarme por ahora.

—Es mejor así. Pero el amor no viene cuando lo llamas, sino cuando le da la gana de venir. Y no te pregunta si te agrada o no. Llega, se apodera del corazón de uno y después... «ventílate como puedas», dice, y se va.

Joan lo contempló con ojos escrutadores.

—Jack, te creo tan despreocupado que no me pareces un hombre de los que se enamoran con intensidad. Pero dime: ¿te has enamorado ya? Tienes los ojos tristes, hablas menos que antes de haber marchado yo y no eres tan idiota como...

—¡Vaya! —rió Jack, burlón—. Por lo visto tienes formado de mí un concepto extraordinariamente halagüeño.

—No lo tengo muy bueno, Jack.

—Eres tan sincera como yo y eso me agrada.

—¿De quién te has enamorado? —preguntó, ya seria—. ¿Acaso de una aristócrata?

—¡Bah! Aquello no tuvo importancia.

—Pero cuéntamelo.

—Sucedió de una forma absurda. A mí me gustaba la chica. Creí que yo le gustaba a ella, pero me equivoqué.

—¿Cómo se llamaba esa mujer, Jack?

El periodista lanzó una carcajada. Enlazó a Joan por los hombros, la besó en ambas mejillas y dijo después:

—Tengo que dejarte, Joan. Ahora que sigan los otros dándote la tercera lección de baile. Yo tengo que ir a la redacción.

—Pero no me vas a decir...

—Nada, Joan. Aquello pasó.

El auto verde corría sin prisa por las calles bañadas de sol. Era un sol pálido, invernal, que anunciaba quizá la espesa niebla que había de caer más tarde. Marco, tan elegante y gallardo como siempre, se sentaba al lado de la conductora. Llevaba un cigarrillo en la boca y de vez en cuando miraba a su compañera.

—¿Puede saberse adónde vamos, querida mía?

—A buscar a una amiga —repuso Denis, sin mirarlo.

—¿Y vas a imponerme la compañía de otra mujer?

—Te gustará —afirmó Denise, rotunda.

Había pensado mucho aquella noche. Se había formado un propósito, y Marco, el estirado y aristocrático Marco Watson, caería en la trampa quisieran o no.

—Todas las mujeres bonitas me gustan —admitió él, de buen grado—, mas no por eso me interesan.

—Ésta es diferente a todas las mujeres que has conocido.

—¿También diferente a ti?

Denise no se inmutó.

—También diferente a mí —repuso, muy segura de sí misma.

—De todos modos, Denise, aunque tu amiga salga ganando en el cambio, cosa que dudo ciertamente, tú sabes muy bien que a mí sólo me interesa una mujer y esa mujer eres tú.

Denise no dejó de prestar atención a la dirección del vehículo. Con las manos en el volante, un tanto rígida, manifestó:

—Aspiro al amor, Marco. Tú lo sabes muy bien. Y dime, amigo mío: ¿puede un hombre como tú, joven, gallardo, noble y millonario casarse con una mujer que no le ama como merece?

—¿Adónde vas a parar, Deni?

—Estoy enamorada de otro hombre, Marco —dijo Denise con intensidad, apretando los labios—. Apasionadamente enamorada, ¿comprendes?

—Bah. ¡Un espejismo de niña!

—Es un amor de mujer, Marco —recalcó ella, frunciendo las cejas—. Tú y yo podríamos casarnos, en efecto. Tal vez resultáramos un matrimonio feliz; pero deseo algo más, algo más, ¡algo más...! —Se exaltó al fin—. Y tú no puedes proporcionármelo porque eres diferente a mí.

—¿Y qué importa que seamos diferentes, querida mía? —preguntó él con flema que exasperó a la joven.

—Oh, sí, tiene mucha importancia. Tú no podrás darme lo que ambiciono, Marco. Eres un hombre tranquilo y feliz. No te conmueve nada. Jamás sentirás una gran pasión porque has querido o jugaste a querer a muchas mujeres. Y yo... —añadió audaz, clavando la saeta de sus ojos en el rostro interrogante de Marco—, yo necesito que el hombre sea todo mío, todo, ¡todo!, ¿comprendes? Yo le daré toda mi vida, es cierto, pero también exigiré otro tanto, y tú...

Las cejas de Marco estaban arqueadas en gesto interrogativo, como si la revelación lo asustara un tanto.

—Y yo, ¿qué, mi querida apasionada?

—Tu no sabrías jamás comprender lo que yo espero de la vida y del amor.

Marco suspiró cómicamente. Tal vez no comprendía a Denise como ésta aseguraba, o sería más bien que la comprendía demasiado y, como ella, consideraba que no servía para llenar el corazón de aquella muchacha hecha de fuego y pasión.

—Hay demasiado calor en ese corazoncito, Denise —opinó cariñoso, con cierta indulgencia que no satisfizo a la muchacha—. Debes frenar tus ímpetus porque se me antoja que sueñas la vida de una manera absurda. Los hombres de hoy estamos materializados. Tal vez carecemos de sensibilidad... Lo cierto es que nos asusta un tanto lo que tú pareces anhelar ahora. Sobre poco más o menos todas las mujeres dicen igual, sobre todo cuando son jóvenes y se hallan recién salidas de un colegio... Cuando pasen unos años, Denise, pensarás de distinto modo y quizá te rías de lo que me dices ahora. La misma vida por sí sola te irá demostrando que estás un tanto equivocada. —Hizo una pausa. El auto entraba ya en la calle donde vivía Joan—. Yo me hice el firme propósito de casarme contigo. En realidad, eres una mujer de mi clase y me gustas mucho. No te amo apasionadamente como tú anhelas, pero... eso son tonterías de niña soñadora. Y me gustaría, Denise, que tú pensaras igual que yo. Formaríamos un gran matrimonio. Yo aportaría mi virilidad, tú tu encanto, y seríamos ciertamente un matrimonio perfecto.

—Un matrimonio de conveniencia —farfulló Denise, ahogadamente—. No, Marco. Un día pensé que tal vez me conviniera. Quizá me sigue conviniendo por el simple hecho de ser tú quien eres. Pero ya no pienso lo mismo. No quiero pensar. Quiero el amor y lo encontraré.

—¿En Jack Calhern? —preguntó Marco, burlonamente.

Denise se creció en el asiento. Apretó el freno y el auto se detuvo bruscamente.

—¡Sí! —dijo fiera—. Lo encontraré en el hombre que vive en esta casa. La casualidad o la Providencia quiso que mi mejor amiga fuera su hermana —añadió pensativamente—. A ella me refería cuando hablábamos del itinerario de hoy. Voy a llamar a Joan Calhern, Marco, y te ruego que no hagas alusión a Jack. Joan no sabe que lo conozco.

—Bien —rió Marco, indiferente—. Seguiré tu juego, Deni; pero recuerda que yo siempre, siempre te esperaré. Si fracasas en tu intento o si te das cuenta de que Jack Calhern no va a proporcionarte todo lo que ambicionas, ven a mí; quizá tu ímpetu apasionado de mujer despierte lo que tú anhelas hallar en el hombre de tu vida.

Denise, sin responder, pulsó el «claxon» una y otra vez. El establecimiento de los Calhern estaba abierto aún. A través de los amplios cristales de los escaparates ya iluminados a causa de las sombras de la noche que poco a poco iban invadiendo la calle tras el sol que se iba, Deni vio a los gemelos... Eran hermanos de Joan y ésta los adoraba. Sintió una dulzura nunca sospechada hasta aquel instante y es que la figura de aquellos dos jóvenes le decía algo del hombre a quien no había vuelto a ver desde hacía un año.

Volvió a sonar el «claxon».

—Ve a llamarla, Deni. Me parece que vas a gastar la batería sin que acuda tu amiga.

Denise descendió y en dos saltos recorrió la distancia que la separaba del comercio. Jamás sus ojos habían brillado tanto como en aquel instante. Miles de lucecitas danzaban en ellos. ¿Y si Jack estuviera allí? ¿Y si estuviera...?

Pero no. Jack no estaba. Pero sí Joan, que revolvía en un cajón mientras sus dos hermanos y los demás de-

71

pendientes trabajaban sin cesar atendiendo a los muchos clientes rezagados que acudían a la hora crítica de cierre.

—¡Joan! —llamó.

Ésta corrió a su encuentro.

—Oh, Deni, cuánto me alegro.

—Vengo a buscarte para dar una vuelta. Me acompaña lord Watson... Aquel hombre de la revista.

—¡Oh, Deni, entonces no iré!

—Qué tonta eres. Es un hombre muy agradable y te gustará. Anda, vamos.

—Espera, primero voy a presentarte a mis hermanos. Papá no ha venido hoy, pero lo conocerás otro día. Max, Jim —llamó alegremente—. Por favor, venid un momento.

Los dos acudieron enseguida. Diríase que lo estaban esperando.

—Mis hermanos. Éste es Max «el Pelirrojo» para nosotros; y éste es Jim... —Miró a Deni y añadió—: Y ésta es Denise Winters: aunque nunca se me ocurrió deciros su nombre, es la amiga de quien hablo con frecuencia.

—Encantados, Denise. Yo, al menos, lo digo por mí —rió Max.

—Y yo lo repito.

Estrecharon sus manos: Max la derecha, Jim la izquierda. Y en aquel momento se abrió la puerta encristalada y una tercera figura masculina apareció en el umbral.

El hombre silbaba alegremente y avanzaba con las manos hundidas en los bolsillos y el sombrero, como siempre, tirado hacia la nuca.

—Jack, ven un momento.

Jack ya lo hacía. Había visto unas faldas de mujer y a Max y su hermano, estrechando dos manos muy delicadas y cuando Max y Jim se entusiasmaban de aquel modo era, sencillamente, que merecía la pena.

—¿Qué hay, hermanos? —inquirió burlón—. Yo creí que ya habíais cerrado. La hora...

Detuvo sus pasos. Calló súbitamente. Los ojos, aquellos ojos verdes que chispeaban siempre humorísticos se ocultaron bajo los párpados. Hubo una leve crispación en la boca de firme trazo. Mandíbulas crujieron..., todo fue en un instante.

Denise tenía los ojos muy abiertos. Su extraño brillo parecía brillo de lágrimas. Tenía la boca entreabierta y el pecho oscilante, presa de una ansiedad nunca experimentada. Un año sin ver a aquel hombre. ¡Un año! Y lo veía ahora rodeado de hermanos, cuando ella esperaba verlo solo para decirle... ¿Qué podía decirle, si los ojos del hombre reían de nuevo burlonamente?

—Vaya —rezongó—, bonita mujer. ¿Dónde la habéis encontrado? —preguntó con hiriente ironía—. Apuesto a que la encontrasteis tirada en la...

—¡Jack!

Joan lo miraba como si no lo reconociera, indignada por su exabrupto. Jack apenas si la rozó con su mirada. Evidentemente, en aquel instante daba menguada importancia a la benjamina. Max y Jim habían soltado las manos femeninas y parecían dispuestos a triturar al osado.

Pero el supuesto osado no parecía muy dispuesto a tomar en cuenta aquellos ojos coléricos. Allí estaba Denise. Era, ciertamente, una joven bella. Pero era Denise Winters, y él la odiaba tanto como la quería.

—¡Bah, no hagas melodrama, Joan! —refunfuñó—. Esta jovencita es muy bella, pero...

—Denise, perdona que te presente a mi hermano. Ya te he dicho que...

—No te preocupes, Joan —repuso Deni con voz ahogada—. Jack... Tu hermano y yo... nos conocemos de antiguo.

Tres bocas se abrieron para cerrarse automáticamente.

Jack apretó la suya sin abrirla previamente. Por lo visto la joven aristócrata no deseaba tener en él ni siquiera el secreto de unos paseos en la soledad de la noche.

—Bien —dijo riendo—. Es cierto que nos conocemos. ¿Cómo estás, lady Winters? Hace mucho tiempo que no nos vemos.

—Un año.

—¡Ah, sí, un año! —hizo una pausa y consultó el reloj—. Bueno, queridos, no puedo detenerme más. He de ver a papá en el despacho y luego me marcho de nuevo. Adiós, Denise. —Dio la vuelta y se detuvo súbitamente sin mirarlos—. ¿Desde cuándo conoces a tu amiga, Joan? —preguntó, al tiempo de encender un cigarrillo entre cuyas volutas ocultó el fulgor de su mirada.

—Es la amiga de quien tanto os he hablado.

Un silencio. Jack estaba de espaldas, a varios pasos de distancia. Los dos hermanos lo miraban con curiosidad. Joan, nerviosa, apretaba la mano en su amiga, y notó que aquella mano temblaba.

¿Por qué? ¿Qué había habido entre ellos? ¿Por qué se miraban retadores como si fueran enemigos? En realidad, ahora Jack no la miraba de manera alguna. Quieto, con un pie extendido como si fuera a echar a andar, fumaba. De pronto comentó:

—Ya. Es muy interesante. La altiva aristócrata cuidando de la jovencita desamparada. Sí, muy consolador. Digno de Denise Winters.

La muchacha no pudo contenerse y avanzó hacia él. Los tres hermanos se miraron, pero no la retuvieron. Joan quiso avanzar, pero Max la contuvo.

—Déjala. Jack, si no estuviera muy dolorido no diría esas barbaridades.

Denise apretó el brazo de Jack y le dijo ahogadamente:

—Tengo que verte a solas, Jack.

—¿A solas? Ya sabes que es peligroso, Denise. ¿Por qué no nos quedamos como estamos? Es mucho mejor.

—He de verte a solas, Jack —repitió obstinada.

—Bien —admitió, mirándola de frente—. Si quieres verme a solas, ve esta noche, a las doce en punto, a la redacción. Estaré solo en el despacho y tendré encendida la chimenea para que no te resfríes.

¡Paf! La bofetada dio de lleno en la faz de Jack, que se atirantó súbitamente. Sus ojos centellearon. Apresó la mano aún en el aire y la retorció.

—¡Maldita!

Max, Jim y Joan se abalanzaron sobre él:

—¿Qué vas a hacer, Jack? ¿Te has vuelto loco?

Jack los miró como alucinado. Después, súbitamente, cambió la expresión de su rostro y soltó una de aquellas carcajadas que tanto detestaba su familia.

Dejó la mano femenina y la miró.

—Gracias, Denise. Ha sido una caricia muy digna de ti. Lo tendré siempre en cuenta.

Y esta vez avanzó sin volver la cabeza, y salió. Los ojos de Deni, empañados por las lágrimas, siguieron la silueta desgarbada hasta que desapareció.

—¡Denise...!

—He sido una estúpida —murmuró ésta, con acento ahogado—. Una verdadera estúpida, Joan. He creído que... que...

Max y Jim estrecharon las manos de Denise. Joan la enlazó del brazo y la condujo hacia la salida, donde seguramente Marco Watson estaba desesperado.

—Joan, yo...

—No me cuentes nada, Deni. He creído comprender algo. Pero ya me lo contarás todo otro día...

Denise, no obstante, jamás contó nada, y Joan nunca se lo preguntó...

Seis

—Pero ¿es que tampoco sales hoy, Deni?

—Tal vez lo haga después.

—Deni —se quejó Wallis, entristecida—. Esto no puede continuar así, ¿comprendes? No sé qué te pasa. Marco ha dejado de venir por aquí con la asiduidad de antes, rechazas las invitaciones que te envían... No te das cuenta de que eres una mujer joven, hermosa y...

—Por favor, Wallis, no me atormentes.

—Deni —susurró la esposa de Lewis, sentándose al lado de la muchacha y apretándola entre sus brazos—. Tú sabes que tenía puestas en ti todas mis ilusiones. Deseaba que te casaras con Marco... Me había hecho ya esa ilusión y de pronto...

—¿Qué importa que sea yo u otra, Wallis? Yo puedo asegurarte que Marco se casará muy pronto.

—¿Qué?

Deni suspiró. Estaba cansada. Muy cansada sin salir de casa. Tan cansada como aquella noche de la fiesta, cuando se presentó en sociedad.

—Sí, Wallis. Hace varios días, casi un mes, le presenté a Marco una amiga mía... Una chica hecha a la medida para tu hermano. Se llama Joan Calhern...

—¿Eh? ¿Te refieres a la hermana de...?

—De Jack —concluyó Deni con amargura.

—Oh, Deni —gimió Wallis, un tanto asustada—. Eso no sucederá jamás. Tú no conoces a Marco. Jamás contraerá matrimonio con una mujer que no sea de su clase...

Deni sonrió pálidamente.

—¡Bah! El amor hace milagros. Marco y Joan salen juntos todos los días... No vayas a pensar que Marco pasea a Joan y la lleva a todas las fiestas por el simple hecho de complacerme a mí... Por primera vez tu hermano está profundamente interesado. ¿Sabes? Ve preparando el regalo, porque creo que pronto tendréis boda.

Al atardecer de aquel día, Marco se presentó en el palacio de Lewis Kane. Hacía una tarde fea; la niebla, espesa y blanquecina, entorpecía el tránsito y Marco utilizó sus piernas para llegar a su objetivo.

Wallis, que estaba deseando hablarle, abordó el tema sin rodeos. Y Marco se echó a reír.

—Tonterías, hermana, tonterías.

—Pero Deni me ha dicho...

—Sí, sí. Ya sé lo que Deni te habrá dicho. Yo tengo que ajustarle las cuentas a Deni.

—¿Por qué?

—Me presentó a esa muchacha sabiendo lo que iba a ocurrir. Pero Deni ignora que este Marco Watson no es un niño. Por otra parte, tú, Wallis, sabes muy bien lo pagado que estoy de mi nombre. Tengo que hacer un matrimonio ilustre. No podría soportar la idea de casarme con una mujer anónima.

—Pero esa chica es amiga de Deni. No puedes burlarte de ella.

Marco rezongó algo entre dientes. Después fumó nerviosamente el cigarrillo que acababa de encender y expulsó el humo con lentitud.

—Bueno, yo no he dicho que me burlara de ella. Es una muchacha encantadora.

—¿Y bien, Marco?

—Oh, Wallis, déjame en paz, por favor, se inclinó hacia adelante y suspiró—: ¿Sabes, Wallis? Jamás me ha gustado una mujer como me gusta Joan Calhern. No sé, no sé en qué parará todo esto. Te aseguro que estoy muy enojado con Deni. Y hablando de todo un poco, ¿qué es de ella? No la he visto desde hace un montón de días. ¿Dónde diablos se mete?

—En su alcoba.

—Di a la doncella que vaya a buscarla. Quiero charlar con ella unos instantes.

La doncella fue y volvió al momento.

—La señorita no se halla en su alcoba, señora. Dice su doncella que ha salido hace un instante.

Quedaron solos de nuevo.

—Me tiene muy preocupada Deni, Marco. ¿Sabes acaso si le pasó algo?

—El asunto Jack Calhern vuelve a la actualidad. Tal vez Deni lo niegue, pero los demás no somos tontos.

—¿Se ven?

—¿Cómo van a verse, si ella no sale de casa y el idiota de Jack anda haciendo números con otra muchacha?

—Dios mío, Marco, eso es terrible.

—Yo me pregunto, Wallis, qué diablos ha visto Deni en Jack para que se prendara de él de ese modo.

—¿Qué has visto tú en Joan para que no la dejes un solo instante?

—¡Diantre! —rió Marco, forzadamente—. Pues es cierto.

Minutos después se despedía presuroso. Estaba citado con Joan en el club y, francamente, la idea de que la joven lo esperase le resultaba penosa.

Al caminar entre la niebla pensó desconcertado:

«Pues, Señor, ¿qué tendrán esos condenados Calhern para que nos seduzcan de ese modo? Porque yo estoy desconocido. A mis años y pendiente de una jovenzuela... Bueno, esto es un juego y terminará enseguida...».

Pero la idea de terminar no le sedujo mucho. Decidió pensar en otra cosa y lo consiguió a medias, pues mezclada en aquellos pensamientos se hallaba la joven Calhern, más seductora y bonita que nunca, con sus ojos coquetuelos, su boca roja y sensual y sus modales distinguidos.

—Haría una excelente lady Watson —pensó en voz alta—. ¡Eh! —rezongó después, asombrado de sus propios pensamientos.

Aligeró el paso y enseguida divisó el edificio.

Traspasó el umbral y la tuvo inmediatamente cerca de él.

—¿Bailamos, cariño? —preguntó la vocecilla encantadora.

La enlazó por la cintura, la apretó contra su cuerpo y disimuladamente la besó en la oreja.

—¿Qué haces?

—Creo que ya lo he demostrado.

—No lo vuelvas a hacer.

—Pero si no puedo remediarlo...

La flexible cintura de Joan quedó encarcelada vigorosamente.

—Me deshaces —susurró ella—. Y después, ¿qué va a ser de ti, mi amado lord?

Marco, el temible Marco que jugaba a querer a todas las mujeres, quedó enajenado, prendado del embrujo de aquellos ojos azules, grandes y amadísimos.

Y asombrado, pensó en aquellas palabras que un día había dicho a Deni:

«El amor es una tontería de niña soñadora. Los hombres no amamos con esa intensidad que tu deseas».

¡Ejem! ¿Qué era aquello que él sentía por Joan? ¿Acaso no era amor? ¿Amor como el que deseaba Denise?

«Diantre —pensó—. Será cosa de separarse de Joan. Esto se está poniendo al rojo».

Pegó la boca al oído de Joan y susurró:

—¿Sabes, jovencita? Estoy loco por ti y me parece que de ésta no escapo.

Los ojos de Joan se elevaron despacio. Toda la luz que de ellos irradiaba dio de lleno en la bella faz del aristócrata.

—Creo que no podremos escapar ninguno de los dos, cariño —musitó, apretándose contra él—. Se me antoja que quieras o no vas a tener que hacerme lady.

—Diablo, Joan. Nunca pensé que me sucediera semejante cosa.

—Es que yo nunca te había visto.

—Eso significa...

—Que soy la mujer de tu vida. Tú me esperabas y yo estaba allí, pendiente de que llegaras.

—Tendremos que casarnos —dijo Marco ahogadamente, arrastrándola hacia la terraza en el torbellino del baile.

Cuando la besó en la boca allí, solos los dos, Joan se colgó de su cuello y dijo en un ahogado suspiro:

—Aunque no quieras, ¿sabes? Aunque no quieras tendrás que hacerme lady porque ninguna otra mujer te dará lo que yo.

Aquella noche, Marco quedó maravillado de sí mismo. ¿Cómo era posible que él, el hombre que había detestado a Lewis Kane porque no tenía un título, se prendara de aquel modo de una comerciante, de una vulgar hija de otro tanto vulgar padre?

—Tendré que deshacerme de ella —decidió en voz alta, dando unas vueltas por la estancia.

«¿Qué? —rió una voz misteriosa—. ¿Deshacerte de Joan? ¡Qué imbécil eres, mi querido lord! Tú no puedes prescindir de esa mujer aunque te lo propongas.»

—Pero si no es de mi clase —chilló Marco, como si hablara con un invisible personaje.

«¡Qué clase ni qué narices! —repuso la voz que, ciertamente, no era muy correcta ni usaba un lenguaje escogido—. Es una mujer apasionada, hermosa, delicada, exquisita... Lo que tú necesitas, precisamente. ¿Qué diablos piensas, mentecato? ¿Crees, acaso, que el corazón es una esponja que la mojas, la estrujas y la tiras? Joan será lady Watson y tú te sentirás orgulloso de ella y de ti mismo.»

—Bueno —admitió Marco, ingenuamente—. Será cosa de ir pensando en la boda. Por lo visto, no tengo escapatoria esta vez. Deni ha conseguido su propósito.

Y más satisfecho y tranquilo, se tendió en la cama y minutos después, roncaba como un bendito. Y en realidad el muy estimado lord Watson no era más que un infeliz que había jugado al amor y ahora amaba por primera vez.

Siete

La niebla era más espesa que en días anteriores.

Deni caminaba sin prisas, su silueta se difundía vagamente entre la bruma.

Miró el reloj. Eran las ocho de una noche oscura y fea. Caminaba sin rumbo. Y como una tarde ya lejana, vio la iluminación de un salón de té y avanzó despacio hacia él. Minutos después, su figura enfundada en una gabardina y cubierta la cabeza con un casquete, se perfilaba en la puerta. Por primera vez en su vida de mujer, sintió que sus esperanzas rodaban por el suelo. Allí, sentado en una mesa se hallaba Jack. Jack con otra mujer. Y aquella mujer era... Teresa Aguisal, la mujer más odiada del mundo.

Tal vez el poder magnético de sus ojos consiguió conmover a Jack, pues éste levantó los suyos y miró hacia la puerta. Denise sintió que algo se destrozaba dentro de ella. Los ojos de Jack se bajaron de nuevo, indiferentes, absurdamente indiferentes.

Retrocedió sobre sus pasos. Caminó de nuevo por la calle solitaria. Sintió frío, frío en el cuerpo y frío en el corazón.

No quedaba esperanza alguna. Si la mujer que acompañaba Jack era Teresa Aguisal, como ella había comprobado efectivamente, no tenía por qué albergar esperanzas. Si Teresa supiera que ella amaba a Jack... no soltaría su presa por nada del mundo.

Llegó a casa a las diez. Lewis le sonrió. Wallis la contempló entristecida.

—Tienes la gabardina empapada, Denise —comentó la esposa de Lewis, con leve acento de reproche—. ¿Por dónde has estado, que ni siquiera te dabas cuenta de que tu gabardina se mojaba?

—Por ahí —repuso, con vaguedad.

Dejó la prenda en manos de un criado y se quitó el casquete ante el espejo. Jamás Denise había estado tan bella como en aquella noche en que sus ojos tenían celajes de melancolía que enturbiaban el brillo de su mirada. Y las ojeras, que parecían dos manchas amoratadas, proporcionaban a su rostro pálido un encanto nuevo, irresistible.

Tiró el casquete sobre una silla y después, automáticamente, se colgó del brazo que Lewis le ofrecía. Las dos mujeres, llevando al caballero en medio, pasaron al comedor.

La comida transcurrió en silencio. Lewis parecía preocupado por lo que seguramente le había dicho Wallis, y ésta miraba a la muchacha escrutadoramente, como si pretendiera entrar en su corazón. Pero Denise no tenía deseo alguno de confidencias.

—Vamos a la Ópera, Denise —anunció Wallis—. ¿Quieres venir? Nos darías una gran alegría a tu hermano y a mí.

—Prefiero retirarme a descansar. Anduve mucho esta tarde y tengo los pies doloridos.

—¿Es inútil insistir?

—Sí, lo es.

Los vio marchar. Los besó amorosamente. No ignoraba lo que sufrían por ella, mas no podía remediarlo. Tras de haberse encerrado en la alcoba, se hundió en una butaca y ocultó el rostro entre las manos. Tenía unos tremendos deseos de llorar, pero contenía el deseo.

Cuando más entretenida se hallaba, sonó el timbre del teléfono que descansaba en la mesita de noche. Lo alcanzó con desgana.

—Diga.

—Deni —susurró la voz de Joan, al otro lado—. ¿Dónde te metes que no te he vuelto a ver desde aquella tarde?

—Salgo poco.

—Denise, ¿sufres, verdad?

—¡Bah!

—Denise, ven a verme mañana. Es preciso, ¿sabes? Tengo que hablarte.

—¿Por qué no me lo dices ahora?

—Son cosas que no se pueden decir por teléfono.

—¿Se trata de Marco? ¿Lo has conquistado ya?

—¡Oh, Deni! ¿Por qué lo hiciste?

—Porque te conozco a ti y lo conozco a él. Era preciso, Joan. Yo no podría amarle nunca, ¿sabes? Pensé que tú lo amarías tan pronto le conocieras un poco... Y le amaste, ¿verdad? Tampoco he visto a Marco, pero no es preciso para saber en qué terminará todo esto.

—Deni...

—Dime, Joan...

—¿Has visto...? —hubo un titubeo al otro lado.

Deni apremió:

—¿A quién?

—A Jack...

Deni se mordió los labios. Tardó algunos segundos en contestar. Cuando lo hizo, su voz era algo más débil:

—Lo he visto esta tarde. ¿Sabes con quién estaba? Con Teresa Aguisal. Al parecer, tu hermano escoge bien las amistades.

—¿Con Teresa Aguisal? ¿Estás segura?

—Claro que sí. Lo he visto con mis propios ojos.

—Pero ¿cuándo pudo conocerla Jack?

—Eso lo ignoro, amiga mía. Por otra parte, no me interesa mucho.

Hubo otro silencio. Después...

—Entonces, vendrás mañana a hacernos una visita. Es preciso que vengas, Deni. Papá quiere hablar contigo de mis relaciones con lord Watson.

—Iré a las siete en punto de la tarde, Joan. Si es para hacerte un favor... ya sabes que jamás he dudado.

Dijo adiós y colgó.

Miró el reloj. Eran las once de la noche. Se puso en pie. Retiró el visillo y miró hacia la calle. Las luces apenas si se apreciaban envueltas en la bruma. Se estremeció. Algo pensaba Deni en aquel instante. ¿Y si fuera...? ¿Y si fuera...? ¿Por qué no, después de todo? ¿Quién iba a saberlo, excepto él? Y tenía que decirle tantas cosas... ¿Por qué no ir?

Aspiró hondo. Tenía un nudo en la garganta y una espantosa opresión en el pecho. ¡Qué deseos de llorar! Todo se arreglaría si ella fuera a verle, si le dijera...

Aspiró con mayor intensidad. Todo el aire que había en la estancia parecía poco para proporcionar vida a su cuerpo. De pie en medio de la estancia, muy pálida, crispada la boca, entornados los ojos, permaneció pensativa por espacio de varios minutos, al cabo de los cuales ir- guió el busto, centellearon sus ojos con aquel fuego de pasión que encendía miles de lucecitas en sus pupilas y con brusquedad se abalanzó sobre el armario.

—Tengo que ir —decidió con acento casi impercep- tible, pero vibrante de una intensidad extraordinaria—. Debo ir y debo aprovechar este momento. Ahora que Le- wis y Wallis están en la Ópera.

Miró el reloj. Eran las once y media.

Tenía el auto bajo el cobertizo del parque. Sam no lo había guardado en el garaje aquella noche porque a la mañana siguiente había que limpiarlo. Aprovecharía aque- lla circunstancia e iría. ¿Qué importaba todo si ella... ella defendía su amor?

Los talleres estaban en plena actividad. Eran las doce en punto y Jack apuró de un trago la tercera copa de co- ñac. Hacía mucho frío aquella noche, la chimenea apenas si proporcionaba calor al despacho. Jack tenía el ceño frun- cido y los labios apretaban fuertemente, como si preten- diera destruirlo, el pitillo que colgaba de una comisura de su boca. De vez en cuando aspiraba y sin dejar el pitillo expulsaba el humo por su nariz. Luego, cerraba un ojo a causa de la espiral que ascendía ondulante y leía la cróni- ca que había sobre la mesa con un ojo solo. Su postura no era muy correcta, precisamente. Aún llevaba el sombre- ro tirado hacia la nuca, se sentaba en el sillón giratorio y los pies descansaban en el tablero de la mesa.

De súbito, se abrió la puerta y apareció en el umbral un joven periodista, que guiñó los ojos burlonamente pa- ra decir, con cierta ironía:

—Una dama desea que la recibas ahora mismo.

—¡Vete al diablo!

—Hablo en serio, Jack —farfulló el otro—. Tengo mucho frío aquí en la puerta y dime si la recibes o no.

Jack, sin variar su postura indolente, emitió una risita ahogada.

—No tengo citada a ninguna dama en este despacho y a hora tan intempestiva.

—Pues te advierto que la dama merece la pena —murmuró su compañero, poniendo los ojos en blanco—. Es... —chasqueó la lengua y concluyó—: una divinidad.

—¡Diantre, será preciso que la hagas pasar!

Segundos después, una figura de mujer realmente exquisita se perfilaba en la puerta. Jack estaba endurecido, la vida y las emociones que le proporcionaba su carrera profesional le habían inmunizado, mas en aquel instante sus músculos faciales se relajaron a causa del asombro. No pudo remediar un estremecimiento y le fue preciso cerrar los ojos y pensar seguidamente si estaría soñando. Mas al abrirlos de nuevo, ella seguía allí aún, viva, palpitante, femenina, subyugadora como ninguna otra mujer. Y era Denise Winters. Una Denise pálida, ojerosa, pero divina en su atuendo: simple gabardina oscura, ceñida a la cintura, un casquete sobre la cabeza, los ojos circundados por una pincelada de melancolía.

—Denise —balbució, sin poder contener su emoción o su asombro—. Juro que no te esperaba.

—Me citaste aquí —repuso ella, con naturalidad, avanzando y cerrando la puerta.

—No te esperaba, Denise —repitió él, obstinado—. Es preciso que te vayas ahora mismo.

—No me iré mientras no me oigas.

—Es peligroso esto que haces, Denise. ¿Qué dirían tus amigos si te vieran en este instante? Por otra parte, una ilustre dama como lady Winters no debe en forma alguna visitar a un hombre soltero, y más a esta hora de la noche.

Denise avanzó más y apoyó una de sus manos en el tablero de la mesa. Lo tenía enfrente y lo miraba fijamente, con intensidad.

—Jack, me guardas un rencor que no merezco —dijo ahogadamente—. Tú sabes que aquél era mi primer baile y deseaba divertirme.

—Naturalmente, y yo no sirvo para nada.

—¡Oh, no me has comprendido! Si aquella noche te la dedico toda...

Él la cortó con un ademán.

—Si aquella noche me la dedicas toda —concluyó con rabia—, me hubieras entregado toda tu vida y todas las noches, ¿no es eso? Y tú, la muy ilustre lady Winters no podía en forma alguna consagrar su vida a un hombre vulgar.

—¡Oh, Jack! ¡Qué mal me has comprendido!

—Tengo la virtud, Denise Winters, de comprender perfectamente a todos mis semejantes. Quizás eso mismo es un defecto aunque los demás lo crean una virtud. Comprendí al instante tus deseos de bailar con ese maldito lord Watson y te dejé tranquila. Jamás volví a acercarme a ti, ¿no es cierto? ¿Qué me importa a mí lo que tú hagas? Cuando te vi en medio de aquel grupo de idiotas, creí que eras diferente. Algo más fuerte que yo mismo me empujó a ti y te amé. ¿Para qué voy a negarlo? Oculté aquel amor bajo mi capa de humorismo... No sé si tú has visto ese amor, mas lo cierto es que yo lo sentí intensísimo, arrollador, impetuoso... ¿Después?

—¡Oh, Jack, yo te juro...!

Jack elevó de nuevo la mano y la agitó en el aire.

—Márchate, Denise. No tengo deseo alguno de verte en mi despacho. Ahora ya estoy curado y tú puedes casarte con lord Watson cuando lo creas conveniente. Yo... también me casaré, quizás.

Una mueca distendió la boca femenina. Mas las palabras se resistieron a salir con ella. Miró a Jack profundamente y apretó los labios.

—No sé a qué vienes ni me interesa —dijo Jack, con indiferencia—. Ahora tengo mucho trabajo y no puedo atenderte. Además, repito que no es una hora muy adecuada para visitar a un hombre.

—Tú no eres como los demás hombres —repuso Denise, enfurecida—. Tienes sangre de horchata. Debajo de esa capa estúpida no ocultas más que vulgaridades.

—¡Denise!

—¡Es cierto! —gritó ella, sin poder contener su amargura que en aquel instante se trocaba en furor extraordinario—. ¿Por qué aseguras vanidosamente que me comprendes, si no es cierto, si jamás me comprenderás?

Jack se apartó de la mesa y aproximándose a ella la miró muy de cerca.

—Por lo visto, Denise, te has propuesto acabar con mi paciencia.

—Sólo he venido a decirte que te quiero, ¿me oyes? Te quiero. ¿Desde cuándo? ¿Acaso lo sé yo? Es una maldición del cielo —añadió ahogadamente—, pero te quiero aun así...

Jack, de momento, quedó desconcertado. Después lanzó una carcajada y posó sus dos manos en los hombros femeninos.

—Muy dramático —farfulló, sin perder su habitual ecuanimidad—. Muy dramático, pero yo no soy un actor de cine ni estoy representando una comedia. Un día te dije que era peligroso solicitar una entrevista a un hombre como yo. Hoy lo repito, no tengo sangre de horchata en las venas como aseguras y a fe mía que tú eres una mujer hermosa y a mí me gustas. Así pues, si no quieres quemarte márchate ahora mismo. No creo en tu cariño ni creeré jamás. Por otra parte, yo no lo necesito para nada. He jurado no casarme con mujeres que hayan bailado con otros hombres y lo sostengo.

—¿Crees, acaso, que Teresa Aguisal no ha bailado más que contigo? —preguntó, retadora.

Jack la contempló suspenso. Después, su sonrisa se acentuó. Era bonita aquella muchacha, endiabladamente bonita y la tenía casi pegada a él. Le agradaba el calor de su cuerpo, el brillo seductor de su mirada, el color rojo de sus labios húmedos que invitaban al beso y el gesto voluptuoso de su rostro que parecía incitarlo.

—Bueno, no pienso casarme jamás con Teresa Aguisal —replicó, jocoso—. Yo no puedo casarme más que con una mujer como tú, pero no pienso hacerlo, ni contigo ni con otra.

Puso su mano en el brazo de Denise y la empujó hacia la puerta. Ella hizo un brusco movimiento y al dar la vuelta tropezó con el pecho masculino. Fue suficiente. Jack, fuera de sí sin poder contener por más tiempo su pasión, la estrechó entre sus brazos, la dobló como si fuera una pluma y clavó su ávida boca en los labios entreabiertos de Denise.

—Has venido a buscar algo —dijo ahogadamente, besando una y mil veces las facciones de aquel rostro ahora rígido por el espanto—. Pues te lo vas a llevar. Juro que no lo olvidarás jamás, Denise Winters. Lo juro...

Adhirió sus labios a la boca de Denise, que se cerró desesperadamente. La estrujó entre sus brazos, la sofocó como si fuera una muñeca y le hizo daño, sí, le hizo daño con sus besos enloquecidos que parecían bofetadas en vez de besos.

—Has dicho que tenía sangre de horchata, y tengo que demostrarte que estás equivocada. ¡Oh, sí! Te lo voy a demostrar.

La tiró contra el diván y aplastando el bello cuerpo contra sí mismo, enredó frenéticamente sus dedos en los cabellos muy negros.

—Jack... —gimió Denise, entre sollozos.

—No me hables, mujer. Ahora...

—Jack, por tu padre, por Joan... por nuestro amor.

—No hables, Denise. Si hablas te mataré...

Con la boca ahogó el grito de espanto de la joven. Después...

Ocho

La niebla, más densa ahora, oscurecía las luces que iluminaban la calle ya solitaria. Hacía mucho frío.

Una sombra caminaba lentamente. Se tambaleaba. Aquella sombra vestía una gabardina oscura y el casquete cubría parte de los cabellos desordenados.

Todo había sido horrible. ¡Horrible! Los pasos lentos eran torpes. De vez en cuando, la sombra bamboleante de Denise se detenía, elevaba los ojos y caminaba otra vez. Sollozaba.

De súbito, se detuvo bajo un farol. Apoyó la cabeza contra el quicio de una puerta y prorrumpió en ahogados sollozos.

—¡Denise! —llamó una voz bronca, tras ella.

El cuerpo de Denise se estremeció violentamente. Dio la vuelta. Al verle elevó sus dos manos y las aplastó contra el cuerpo de Jack.

—Eres un canalla —dijo, con los dientes juntos.

—No pude contenerme —balbució Jack por primera vez sinceramente impresionado—. Además, no ha sucedido nada irremediable, Denise. Te juro...

—No jures nada. Déjame sola. Nunca más te aproximes a mí. Esta noche he sabido quién eres. Jamás volveré a recordarte.

—¡Como si eso fuera posible! ¡Allí en el despacho yo enloquecí, sí, es cierto! Pero tú enloqueciste también.

Ella le miró a través de la niebla y súbitamente se lanzó calle adelante, sin volver la cabeza.

—¡Denise, Denise! —gritó Jack, corriendo tras ella.

Denise se detuvo, jadeante.

—Esta vez será para siempre, Jack —aseguró, mirándole a través de sus lágrimas—. Para siempre. Vete con Teresa Aguisal, cásate con ella... Yo te desprecio tanto...

Se fue. Él no la retuvo esta vez. Apoyado contra el quicio de una puerta cualquiera estuvo mucho rato. Cuando al fin se rehízo, sacó un fósforo, lo encendió y prendió un pitillo, que tembló entre sus dedos.

—La he perdido —murmuró—. Nos hemos perdido los dos...

La sombra femenina se había perdido tras una oscura bocacalle. Aunque la niebla se había aclarado, quedaba el pavimento húmedo, y Jack como hipnotizado, corrió tras las huellas de los pasos de Denise tambaleándose como un beodo. La vio a distancia cruzar la calle elegante, solitaria a aquella hora, y traspasar la gran reja de hierro hasta perderse en el parque.

Después, muy lentamente, dio la vuelta y regresó a la redacción.

Denise quedaba allí, sola y muda ante el palacio cerrado. Miró el reloj a través de las lágrimas que empañaban sus ojos y comprobó que eran las dos y media de la madrugada. Sus hermanos ya habían regresado. Las puertas no estarían abiertas. Súbitamente pensó en el auto que había dejado ante la redacción. Se estremeció. Se cubrió el rostro con las manos y acurrucada en una esquina de la terraza quedó muda, estática, con los ojos clavados en la negrura de la noche.

No quiso pensar. ¿Para qué? Todo había sido espantoso. Jack se había portado con ella como si en realidad fuera un rufián de perversa calaña. Y ella... ella había soportado sus besos de loco, sus caricias que la habían trastornado.

Jamás había sufrido tanto en tan corto espacio de tiempo ni con tanta intensidad. Pasaron los minutos lentos, agobiadores. Lewis y Wallis seguramente la creían en su habitación descansando plácidamente, y ella entretanto...

Súbitamente sintió zumbar a lo lejos el motor de un auto. Después, la bocina y más tarde aquel auto se detenía ante el palacio.

Denise se puso en pie y contuvo el loco latir de su corazón con ambas manos. Entreabierta la boca, brillantes los ojos por la fiebre del mismo dolor que la laceraba, observó también cómo Jack, el propio Jack, lo conducía hasta el cobertizo y se apeaba. Miró en todas direcciones como buscando algo. Luego encogió los hombros y se dirigió a la puerta.

Denise sintió horribles deseos de correr tras él y golpearle, pero se contuvo. Callada y rígida, permaneció en el mismo lugar y cuando la sombra de Jack desapareció tras la verja de hierro, fue hacia el auto, encerróse en él y experimentó una laxitud extraña. Tenía sueño, deseos quizá de morir allí mismo y no recordar nada más. Cerro los ojos, sintió que el sueño se apoderaba de ella. Después...

¿Cuántas horas habían pasado? Sintió una mano en su hombro y la voz gangosa de Sam, el negro que cuidaba del garaje.

—Pero, milady...

La joven abrió los ojos. Un sol pálido le hizo cerrarlos de nuevo. Tenía la mente vacía y los ojos enrojecidos. Sintió frío y se arrebujó en el asiento como disponiéndose a reanudar el sueño. Pero la mano ruda de Sam la rozó afectuosamente.

—Milady está muy fría. ¿Es que ha dormido en el auto la pequeña milady?

¿Eh? Irguió la cabeza. De un golpe recordó todo lo sucedido la noche anterior. Hubo un destello de rebeldía en sus ojos. Después miró a Sam como si no le reconociera.

—Milady está muy pálida.

—Me he levantado para... para ir a misa y...

Sam no la creyó, pero era un sirviente fiel y amaba a su señorita.

—Y se ha dormido, la pequeña milady.

—Eso es, Sam... Me he... dormido...

Saltó del auto. Le dolía todo el cuerpo. Tenía mucho frío y se sentía amargada y destrozada para siempre.

—La señora buscaba a milady hace un instante —dijo Sam, limitándose a limpiar el auto.

—Iré enseguida. Buenos días, Sam.

Enérgica, dispuesta a todo antes de confesar la veracidad de los hechos, la gentil figura se deslizó por la grava del parque y penetró en la salita donde seguramente hallaría a Wallis.

Y se asombró de no encontrar a Wallis sola. Allí en el salón estaba Marco, un Marco excitado y nervioso. Y un Lewis algo pálido y una Wallis medio enloquecida.

—Buenos días —saludó—. ¿Qué os pasa?

Los tres, como si fueran uno solo, se lanzaron hacia ella.

—¡Denise!

El grito dejó paralizada a la muchacha.

—Pero ¿qué sucede?

—Deni —gimió Wallis, apretándola en sus brazos—, te hemos buscado por toda la casa. Son las once y media de la mañana y siempre te levantas al amanecer. Fui a tu cuarto y después recorrí una por una todas las estancias.

—¿Y por eso has llamado a Marco y a Lewis? —rió la joven, forzadamente—. Pues estoy aquí, Wallis.

—Pero tu lecho esta intacto, Deni —murmuró Lewis con voz extraña.

Denise se estremeció. Era preciso salir de aquel trance. Mentir de nuevo. Todo antes de humillar a Lewis como la habían humillado a ella.

—Naturalmente, querido. Algún día deberé casarme y no sé en qué circunstancias lo haré. Esta mañana se me ocurrió hacer la cama antes de ir a misa. Luego encontré a una amiga y me quedé con ella a desayunar.

Los ojos de Lewis la contemplaron escrutadores. No la creía. Miró hacia Marco y observó en él una expresión desacostumbrada, como si se hallara muy lejos de allí. Después miró a Wallis y adivino, que ésta la creía rotundamente. ¡Oh, dulce e inocente Wallis!

—Bien, puesto que estás aquí, Denise, y no te has perdido —expuso Lewis expeliendo el humo de su cigarro mañanero— lo mejor será que te digamos algo de lo que ha sucedido.

—¿Sucedido?

—A las diez de la mañana hemos recibido una visita, Deni —manifestó Wallis, emocionada—. De no haber sido por eso, tal vez no se nos hubiese ocurrido buscarte en tu cuarto y después en toda la casa y hasta en el parque.

—Ciertamente —comentó Lewis de un modo vago—. Los Calhern han elegido una hora inadecuada para pedir la mano de una joven aristócrata como tú.

Denise irguió el busto. Hubo un raro destello en sus gemas claras. Por un instante creyó que no iba a poder resistir la noticia, mas su voluntad poderosa ayudola a mantenerse firme, rígida, como si lo que decía Lewis fuera la cosa más natural del mundo.

—¿Ya lo sabías, Denise? Te hemos buscado para dar al señor Calhern una respuesta.

—Se la daré yo misma.

—¿Tú?

Miró a Marco.

—¿Por qué no? Después de todo, nada tiene de particular que les haga una visita. Joan y yo siempre hemos sido buenas amigas.

—Sí, de acuerdo —asintió Lewis, sin dejar su postura un tanto indolente—. Mas lo cierto es que lo hemos citado aquí para las doce en punto de esta misma mañana. Lo acompañará su hijo y... prometido tuyo, según creo. Denise —añadió, con un dejo de amargura—. Siempre creí que antes de tomar una determinación de esa índole me consultarías. Ocupo el lugar de padre para ti y me duele saber que te has comprometido sin decirme nada. Es casi una ofensa, querida Denise.

Corrió hacia él y se apretó en sus brazos. ¡Qué deseos de llorar! Jack creía quizá que con dar aquel paso todo estaba solucionado. ¡Oh, no! La humillación había sido demasiado honda. Él había destrozado su inocencia sin un átomo de compasión. Todo había sido horrible y ella jamás podría olvidarlo aunque se lo propusiera. Nunca, nunca, aunque continuara amándolo podría ahuyentar de

su mente aquel recuerdo horrendo, aquel arrebato ende-
moniado, aquella pasión que jamás creyó fuera Jack capaz
de sentir hacia ella.

«No ha sucedido nada irreparable.» Claro, él pensaba de aquella manera... ¿Y si ella se negara? ¿Y si lo des-
preciara delante de todos? ¿Y si lo hiciera?

¡Bah! Su actitud sería absurda en el supuesto de que
obrara así. Todos, sin exceptuar a Lewis y a Marco, sabían
de qué forma ella amaba al periodista. Una negativa ahora, un desprecio, la obligaría a dar una explicación que
en modo alguno podría dar en presencia de los seres que
la admiraban y la querían. Por otra parte, ella... ella...

—¡Oh, Lewis! —susurró, como escapando de sus propios pensamientos—. Todos me juzgáis mal y es que yo...
yo...

—No te esfuerces, Denise —musitó Wallis, dulcemente,
yendo a su lado—. En realidad, todos sabemos lo que es
una pareja de enamorados. Joan y Marco piensan casarse
el mismo día que vosotros. Será un gran acontecimiento
para nuestras familias, Denise. Estoy muy satisfecha de que
Marco haya encontrado al fin su media naranja. Y sé también que será feliz como tú lo serás con Jack...

Sintió los labios de Lewis en su frente y se estremeció. Después corrió hacia Wallis y se abrazó a ella. Por
primera vez sintió que no podría en forma alguna contener el llanto y Wallis, como adivinando lo que pasaba
en aquel instante por el corazón femenino, dijo quedito,
acariciando la cabeza que se ocultaba en su pecho:

—Llora, Deni. Estás muy nerviosa, querida mía. Y
necesitas llorar un poquito. Es bueno llorar, mi dulce Denise. Yo también lo hice muchas veces cuando me sentía
la más feliz de las mujeres.

Estaban ambos en la terraza, frente a frente. A través del ventanal entreabierto llegaban las voces confundidas del viejo Calhern y Lewis, como asimismo las de Marco y Wallis. Ellos estaban allí, mudos y rígidos.

No se atrevió a negar su propia mano. Tal vez esperaba esa reacción, pero Denise no se la proporcionó aun a trueque de soportar siempre su presencia, que le era lo más odioso del mundo. Y recordó haberse emocionado bajo el beso paternal del señor Calhern, que en un solo día cedía a sus dos hijos. Después, el beso de Lewis la emocionó a ella y el de Wallis la reconfortó. Luego, Marco apretó su mano cálidamente y le transmitió un mensaje de felicidad... ¡Bah! Él sí podía ser feliz con Joan, pero Jack no era como Joan ni ella era como Marco. Su dignidad de mujer había sido pisoteada y ella... ella...

—Denise.

La voz de Jack sonaba hueca, apagada.

No lo miró.

—¿Qué deseas?

—Por mucho que haga y diga, no vas a creerme. Por mucho que luche, nunca me perdonarás. Sé que accedes a esta boda quizá para vengar el daño que yo te hice... Nunca podrías comprender nada de lo que siento yo.

—Ya. Siempre he sido una imbécil.

—Denise, si me dejaras disculparme...

—Hay cosas que no tienen disculpa y ésta es una de ellas. Vamos a casarnos, Jack. ¿No es cierto? —Lo miró. Toda la luz de sus ojos dio de lleno en la faz un tanto pálida de Jack, que parpadeó—. Pues bien, creo que todo está ya solucionado. Dijiste que no había sucedido nada irreparable. Bien, pensabas quizá repararlo de este modo, proporcionándome un nombre que hoy detesto con todo mi orgullo de mujer humillada. No importa nada. De todos modos vamos a casarnos, ¿no es cierto?

—Denise, tienes que oírme antes.

—Nada tengo que oír, Jack. Todo me lo dijiste ayer noche. Nunca pensé que el visitar a un hombre a las doce de la noche en su despacho me acarreara tan dolorosa experiencia. Creí que iba a visitar a un caballero y resulta que...

—¡Cállate, por favor!

—De todos modos —añadió, implacable—, vas a casarte con una mujer que bailó veinte mil veces en brazos de otros. ¿Cómo es posible, Jack?

Las manos masculinas cayeron como garfios en los hombros de Denise.

—No sé lo que piensas ni lo que harás una vez seas mi mujer, pero quiero que sepas que estoy contento, y que no me importa que hayas bailado con veinte mil hombres, porque de ahora en adelante sólo bailarás conmigo. Esta es la pura verdad, Denise, la absoluta verdad. Vas a ser mi mujer y lo demás no me interesa.

—Pues ahora busca a tu padre y márchate. Procura venir poco por aquí. Alega que tienes mucho trabajo, lo que más te agrade porque yo no podré soportarte muchas horas seguidas. Por otra parte, los preparativos de la boda ocuparán toda mi atención.

—¿Y crees que podré soportarlo?

—¿Por qué no? Ayer no pensabas casarte conmigo. Hazte a la idea de que ahora tampoco piensas hacerlo.

—Eso es absurdo.

101

Denise le miró. ¡Qué bonita era y qué seductora estaba en aquel instante! Jack apretó los puños y hubo de hacer grandes esfuerzos para contenerse.

—Lo más absurdo del mundo es esta boda y no obstante, vamos a celebrarla —replicó ella.

—Ayer dijiste que me querías.

—En efecto. Ayer te quería como una verdadera loca. Hoy te desprecio como una mujer sensata.

Dio un paso hacia la puerta de la terraza que comunicaba con el salón, apartando sus ojos del rostro rígido de Jack.

—Escucha, Denise..., ¿no crees que si pusieras algo de tu parte esto se solucionaría de otro modo?

—Creo que no, Jack.

Y esta vez sin volver la cabeza, penetró en el salón.

Nueve

Al día siguiente se celebraba la doble boda en el palacio de Lewis Kane. El acontecimiento era, ciertamente, de gran resonancia. Marco como perteneciente a la nobleza era muy conocido. Jack Calhern como periodista e hijo de un industrial importante, no pasaba inadvertido precisamente, y la linda joven lady Winters gozaba de gran simpatía en todas partes. Allí, pues, en los círculos de la buena sociedad se hablaba mucho de las dos bodas que tendrían lugar al día siguiente. Habían sido cursadas muchas invitaciones. La fiesta prometía ser de una brillantez extraordinaria. Marco y Joan se sentían emocionados como dos chiquillos. Lady Winters parecía envuelta en un halo de absoluta indiferencia. Y Jack, pálido y nervioso, más que hombre desgarbado e interesante, semejaba la sombra de algo que se parecía a un hombre.

Aquella tarde, al anochecer, la doncella de Denise llamó a la puerta de la alcoba de su joven ama.

—La señorita Joan ha llamado por teléfono y le ruega que vaya usted a estas señas ahora mismo.

—Es una contrariedad, Polly. Puedes decirle que no estoy.

—Ignoro desde dónde ha llamado, milady.

Se puso en pie con desgana.

—Iré —dijo tomando el papel con la dirección.

Vistiose apresuradamente. Se puso un modelo de tarde oscuro que armonizaba perfectamente con su melancolía y sobre éste un abrigo de pieles. Un casquete sobre la cabeza y el bolso en la mano.

El auto estaba preparado. Subió a él y partió.

Las calles pasaron vertiginosas ante sus ojos. No pensaba en el recorrido, ni siquiera en lo que Joan podía desear de ella a aquella hora. En realidad, aquella noche tendría lugar la fiesta de despedida de solteras en casa de Lewis.

Pensó en Jack. Siempre pensaba en Jack, aunque no se lo propusiera. No porque lo amase —todo aquello había sido espantoso y ella nunca podría olvidarlo—, sino por la actitud adoptada por Jack a partir del día en que acompañó a su padre para pedir su mano.

Siguió al pie de la letra sus deseos. Un pretexto cualquiera lo privaba de su compañía. Dos veces lo había visto en quince días. Dos veces: una en casa de Lewis, en medio de muchos ojos curiosos, y otra en plena calle, cuando ella, pensativa, caminaba sin saber adónde se dirigía. Jack la asió del brazo con naturalidad y caminaron juntos hasta un salón de té. Era absurdo, pero no cambiaron ni una sola palabra en toda la tarde. Él la acompañó después hasta casa y allí le dijo adiós con acento indefinible. Desde entonces, no se habían vuelto a ver.

En cambio, Marco y Joan estaban juntos todo el día, a todas horas... Se amaban de verdad. Ella jamás podría amar a Jack como lo amaba antes. Y en cuanto a Jack... ¡Bah! Él nunca la había amado.

El auto enfiló una céntrica calle. Denise miró el papelito y comprobó que estaba ante el número indicado.

Aparcó el auto junto a la acera y saltó al suelo elevando los ojos para contemplar el gran edificio que tenía ante ella. Era una casa alta, señorial, de aspecto imponente. Parecía nueva. Sólo los ventanales del segundo piso —allí adonde ella se dirigía— estaban cubiertos por finas cortinas. El resto del edificio parecía deshabitado. Traspasó el lujoso portal y el portero le salió al paso.

—¿Desea algo la señorita?

—Voy al segundo.

—Suba usted al ascensor. Yo la acompañaré. Hay tanta puerta que podría equivocarse usted. —Luego, una vez en el interior del ascensor, el portero, que parecía dicharachero y simpático, continuó dando todos los detalles—. El piso ha sido alquilado uno de estos días. Los otros están en trámite. Para finales de este mes se hallarán todos habitados. La casa pertenece al señor Calhern. Lo sabía usted, ¿verdad?

—Sí.

Una vez más, mentía. ¿Por qué lo hacía? Sintió que algo empañaba sus ojos. ¿Es que Joan iba a vivir allí con Marco? ¿Y éste abandonaría su suntuoso palacio?

—Es un señor muy agradable. Ayer estuvo aquí con sus hijos. Ahora estará arriba la señorita Joan.

—Precisamente voy a visitarla.

—Dicen que se casa uno de estos días. Creo que también lo hace el hijo mayor del señor Calhern. Ese que es periodista.

—Yo soy su prometida.

El portero abrió el ascensor y la boca, al mismo tiempo.

—Ha tenido buen gusto el señorito Jack.

—Gracias, amigo mío. Es usted muy galante.

—Allí es, señorita.

Dio de nuevo las gracias y pulsó el timbre.

Le abrió una negra. Enseguida apareció Joan tras ella, y se lanzó impetuosa en los brazos de su amiga.

—Creí que ya no vendrías, querida mía. Pasa —añadió, empujándola blandamente—. Estás muy bonita, Denise. ¿Qué te parece el piso? ¿Es de tu agrado? Es el regalo de boda que os hace papá.

Denise quedó paralizada. ¿Es que iba a vivir allí con Jack? ¡Con Jack!

—Muy bonito —dijo, casi sin voz—. Pero yo creí que...

—¿Que ibais a vivir en la calle?

Recorrió el piso en compañía de Joan. Le parecía todo maravilloso, casi inconcebible. Ella estaba acostumbrada al lujo y a la comodidad, pero el palacio de Lewis, aparte de ser uno de los más lujosos y más bellos de la barriada, era, ciertamente, un poco anticuado. En cambio aquel piso que papá Calhern regalaba a su hijo mayor, era de una elegancia extrema y de un modernismo muy acorde con la pareja.

—Estoy encantada —no pudo menos de decir.

—Mira, Denise. Ésta es tu alcoba. Comunica con la de Jack. Jack es un chico moderno y dijo que no quería una alcoba común. ¿Qué te parece?

Se estremeció.

—Me parece muy bien —admitió ahogadamente.

—Ése es su despacho. Y esta puerta da a una salita. El comedor —iba enumerando Joan, entusiasmada— y ésta la cocina. Ya tenéis cocinera. Papá os cede a su amada negra. Nosotros nos hemos criado con ella, al morir mamá. Le llamamos sencillamente Ama. Su nombre es

Sidey. El salón es este lugar y tu cuarto de estar comunica con la alcoba. ¿Es todo de tu agrado, Denise?

—Lo es. Todo me parece maravilloso.

—Bien, pues para esto te llamé. Dicen que vamos a realizar un viaje. Marco piensa ir a Italia, pero Jack dijo que a los quince días tenía que estar de regreso por asuntos del periódico.

La condujo hacia la salita. Era un lugar acogedor, como toda la casa. No faltaba un detalle y Denise pensó que todo la hubiera emocionado indescriptiblemente si su boda se realizara en distintas circunstancias.

—Denise, ¿sabes que los Aguisal están invitados a la doble boda?

Se irguió en la silla. Por Teresa Aguisal había ella ido a ver a Jack aquella noche. Si tanto la había odiado, ahora aquel odio se convertía en algo insoportable. La detestaba con toda su alma de mujer que jamás había odiado a nadie y, sin embargo, ahora odiaba a Jack Calhern y a Teresa.

—Yo no la invité.

—Pero Marco, sí. Al parecer, conoce mucho a su familia. Yo le dije a Marco que no lo hiciera pero Marco repuso que no tenía más remedio.

Denise se puso en pie.

—Marchemos ya, Joan. Aún tenemos mucho que hacer antes de la fiesta de esta noche.

—Es cierto. —Tras rápida transición, añadió—: Una de nuestras doncellas pasará a ocupar junto con Ama un lugar en tu casa. Supongo que tú traerás a Polly.

—Desde luego.

—Desde mañana, las tres se instalarán aquí. Papá es muy previsor y todo lo ha dispuesto.

Tuvo deseos de preguntar si Jack sabía algo de aquello, pero no le fue preciso porque una llave giró en la cerradura y la figura del propio Jack se perfiló en el vestíbulo. Al verla se quedó quieto, rígido. Denise supo que no esperaba encontrarla. Y pensó también que, de saberlo, él no hubiese ido al piso.

—Hola —saludó mirando a ambas.

—¡Ah! Eres tú, hermano. Me alegro, porque así acompañarás a Deni. Yo esperaré a Marco, pues prometió estar aquí dentro de unos instantes.

Denise hubiera fulminado a Joan. Limitose a sonreír pálidamente.

—He venido a buscar unos papeles —dijo Jack, a modo de justificación—. Están en el despacho.

—Miró a su prometida y añadió—: Enseguida estoy contigo, Denise.

Él iba al volante. Vestía un traje de franela gris y llevaba como siempre, el flexible tirado hacia la nuca. Era muy elegante Jack, pero tenía una distinción natural que lo hacía diferente de los demás hombres. Denise, a su lado, permanecía callada y pensativa. Pensaba en el piso, en la intimidad de los dos dentro de aquel nido demasiado acogedor para dos que no quieren rozarse. Todo iba a ser muy violento. ¡Oh, sí! Extremadamente violento.

—¿Te gustó? —preguntó él con naturalidad.

Denise decidió aparecer también natural. Ambos pensaban en la misma cosa. Era evidente que el recuerdo de aquella noche perduraría durante mucho tiempo, tal vez años interminables, pero era preciso aparentar que se olvidaba y puesto que Jack lo hacía, ella tenía el deber de imitarlo, aunque su orgullo de mujer se violentara.

—¿Te refieres al piso?

—Sí.

—Muy bonito. Tu padre ha tenido una gran gentileza.

—Como su hijo.

—No te considero tan gentil.

—¡Bah! ¿Cuándo te has detenido a pensar en mí?

—No será un reproche, ¿verdad?

—¿Por qué no? Después de todo, es harto humillante para un hombre tener una novia, mañana una esposa y...

—¿Y qué?

—No merece la pena hablar de ello.

El auto se detuvo. Era noche ya y caía la bruma pegajosa y húmeda.

—Hemos llegado —dijo él—. Si no te importa, me llevo tu coche, pues ellos ocuparán el de papá y yo todavía no tengo. Pienso comprarlo al regreso de nuestro viaje.

—Puedes usar ése cuantas veces quieras —repuso Denise, disponiéndose a apearse.

—Gracias, éste lo usarás tú. Hoy me lo llevo porque lo necesito para volver más tarde a la fiesta. —Hizo una pausa, y súbitamente asió la mano de Denise—. ¿Sabes, Deni? Detesto estas fiestas. —Inclinose hacia ella y añadió con reconcentrado acento—: Espero, Deni, que no bailes esta noche con ningún hombre. Si quieres bailar, hazlo conmigo. Es la ofensa mayor que podías hacerme si te...

—¿Y no crees que estoy deseando ofenderte?

—Tal vez. Mas esta noche presiento que...

Ella rescató su mano y bajó. También Jack lo hizo. Denise hubiera jurado que Jack estaba más nervioso que nunca pero no quiso pensar en ello.

—Deni —susurró, caminando a su lado hacia la alta verja—. ¿Nunca vas a perdonar? Vamos a casarnos, Deni. Aquello...

Ella agitó la cabeza y la mano.

—¡Cállate! ¡No hables de eso!

—Eres dura, Denise. Otra hubiera perdonado.

—Tal vez yo te haya perdonado, Jack —dijo, quedamente—, pero no puedo olvidar y confieso que me lo he propuesto más de una vez.

—Vamos a casarnos, Denise —repitió—. Confieso que me porté como un salvaje... Pero te amaba.

Los ojos de la joven se elevaron bruscos. Clavó la mirada en Jack y sonrió al fin con vaguedad:

—Nunca creeré en tu amor, Jack. ¡Nunca, nunca! Un hombre que ama a una mujer no hace lo que tú hiciste conmigo.

—¡Por Dios! —clamó Jack, excitado y nervioso—. Igual vas a decirme que...

—¡Cállate! —gimió Denise, elevando la mano y tapando con ella la boca masculina—. ¿Cómo te atreves, Jack?

Él tenía los dedos de Denise aprisionados entre los suyos. Los apretó febril y los besó una y otra vez. A través de la oscuridad, sus pupilas brillaban dulcemente, con una dulzura nunca sospechada por Denise.

—Repito que vamos a casarnos, Denise. Queramos o no —añadió bajito— vamos a ser uno del otro. Real o aparentemente, nos pertenecemos, Deni. ¿Por qué no podemos hablar ahora de cosas que nos conciernen a los dos, si mañana será forzoso que hablemos? Y te juro, Denise, que recordaré punto por punto en voz alta lo sucedido aquella noche hasta tal extremo, que un día tú misma llegarás a amar esos recuerdos. Fui feliz, Deni —añadió cada vez más cerca de ella, quemándola con su aliento, rozándola con los labios que parecían quemar como el suspiro que de vez en cuando exhalaba el pecho oprimido de la joven—. Te conocí aquella noche. Juro que jamás pensé que una aristócrata, parapetada tras su orgullo de raza, se convirtiera en una joven sensible y apasionada. No fui un maldito, Denise. Fui un hombre que deseaba casarse contigo. Puede que no lo creas, tal vez no lo admitas nunca, pero lo cierto es que en aquel instante comprendí que si no sucedía lo que sucedió, mi orgullo jamás me permitiría ir a tu lado. Esto es la verdad, Deni, y te ruego que me creas. Y repito que desgranaré una por una todas las palabras que forman el pasado de una noche de locura. Y un día tú misma...

—¡Basta, por favor!

Iba a retroceder, pero los dedos de Jack, aquellos dedos nerviosos y dulces que la habían acariciado hasta dejarla inerte, la sujetaron.

—Denise...

—Déjame —pidió ella, tratando de alejarse.

—Primero dame un beso, Denise. Te lo pido...

—Aunque me lo pidas por Dios —gimió Denise, desprendiéndose bruscamente— no podría dártelo, no creo que pueda jamás.

—¿Y así vamos a casarnos?

—No te pedí que te casaras conmigo —replicó ella, excitada—. Fuiste tú quien vino a solicitar mi mano, aun sin contar conmigo.

—Era preciso, Denise.

—Pues no me pidas más... no me pidas más... ahora.

—¿Y mañana?

—Por favor...

Alcanzó la verja con mano temblorosa. Jack dio un salto y pegó su cuerpo al de la muchacha. Sus dedos aprisionaron los hierros y su cabeza se juntó a la de Denise.

—No bailes con ningún hombre, Deni. No podría soportarlo, ¿me oyes? No podría.

—Déjame, Jack. Aparta, por favor...

Su voz quedó ahogadó por un instante. Y al gustar el sabor de aquella boca, el hombre la apretó contra su cuerpo, la doblegó y después...

Un minuto o una eternidad. ¡Qué más daba! Suspiró la joven y Jack se complació en jugar con los labios que minutos antes se le negaban obstinados.

—No lo haré —suspiró Deni ahogadamente—. Te juro que no lo haré, pero déjame ahora.

Diez

Eran las dos de la madrugada.

La orquesta, compuesta por varios famosos profesionales animaba la velada, y la juventud bailaba al compás de la música dulzona.

Jack, muy callado, se hallaba sentado en una banqueta con un brazo apoyado en el improvisado bar.

Tenía un vaso lleno y a su lado Denise lo contemplaba entre suspensa y enojada.

—¿Vas a estar así toda la noche, querido? —preguntó malhumorada.

—No me gusta bailar, Deni —repuso él—. Y no quiero que tú lo hagas con esos idiotas.

—Hasta ahora nadie me ha solicitado. Todos saben que odias el baile y no se atreven a pedírmelo, pero si viene por ahí uno más osado, ten por seguro que no le digo que no.

—Como quieras.

Y bebió el contenido de la copa.

—¿Sabes? —preguntó ella, tocándole en el brazo—. Vas a emborracharte, y la verdad es que no me agradará el espectáculo en absoluto.

Jack iba quizás a responder cuando Marco y Joan aparecieron en el bar.

—Vaya, no parece que mañana vayáis a casaros —comentó Marco—. ¿Por qué no bailáis?

—A Jack no le agrada honrar a Terpsícore.

—Muy ingeniosa —farfulló Jack.

—Bueno, Denise, ven a bailar conmigo.

Se puso en pie y apresó la mano de Denise.

—¿No tienes bastante con una, Marco? —barbotó Jack, fuera de sí—. Pues lárgate con ella. Ésta es mía.

—Voy a bailar con Marco.

Jack se estiró. La asió por la cintura y la arrastró tras él.

—No, Deni. Vas a bailar conmigo hasta que caigas rendida, pero sólo conmigo.

Y, en efecto, durante todo el resto de la noche, Jack, excitado, no dejó de apretar aquella cintura femenina que ya se sentía dolorida bajo la cadena que la aprisionaba.

Eran las cuatro de la madrugada. Los invitados comenzaban a desfilar. Jack, en la terraza, continuaba bailando. Ciego, enfurecido, como si fuera presa de una alucinación, sin cesar, desesperadamente, ceñía el talle de Denise.

—Me deshaces —gimió Deni, ahogadamente.

—Mejor. Quieres bailar, ¿verdad? Pues bailarás hasta caer rendida.

—¡Oh, Jack! ¿Por qué eres tan impulsivo? ¿No comprendes que voy a desfallecer? Me destrozas la cintura, querido.

Él nada repuso. Cesó de bailar, pero no la soltó. La miró a los ojos largamente y susurró, pegando su boca en la tibia garganta femenina, que se estremeció perceptiblemente.

—Deni, ¿no podrás quererme nunca? ¿No podrás perdonar? ¿Qué vas a hacer mañana cuando seas ya mi mujer? ¿Vas a cerrarme las puertas de tu corazón y las de tu intimidad?

Ella, valientemente, se desprendió de sus brazos y lo miró de frente. No había en sus ojos promesa alguna, sino una fría decisión.

—Contesta, Deni, y no me mires así.

—Te cerraré las puertas de mi corazón y las de mi intimidad, Jack. Es mejor que lo sepas ahora que aún estás a tiempo de retroceder.

El hombre apoyó la espalda contra una columna y miró a Deni como si la viera por primera vez.

—¿Estás segura, Denise? ¿Estás segura de lo que dices?

—¡Oh, sí, lo estoy firmemente! Si quieres, puedes marcharte ahora, Jack, y no volver jamás. Estás a tiempo todavía. He visto esta noche que Teresa Aguisal no te quitaba los ojos de encima. Lograrías un gran reportaje si en vez de casarte conmigo lo hicieras con esa mujer. Repito que sería una noticia sensacional. ¿Por qué no lo haces?

—¿Y tú?

—¿Yo? ¡Bah!

—Eres mía, Denise —exclamó, con acento ahogado.

—No hablemos ahora, Jack, de cosas que ya han pasado. Yo te ruego que si no vas a soportarme... me dejes ahora que aún estás a tiempo —insistió.

—Denise, Jack, ¿dónde estáis?

Era Wallis. Corrió hacia ella sin mirar a Jack. Esperaba que no compareciera al día siguiente. Lo esperaba, sí. Tenía miedo por primera vez en su vida, miedo del amor de Jack... y miedo de su propio amor.

Pero Jack acudió. Correcto, elegante, algo menos desgarbado dentro de su traje de etiqueta. Y la boda se celebró sin incidente alguno. Marco y Joan se fueron antes del banquete y ellos dos subieron al auto de Denise en silencio, sin mirarse.

Eran las siete de una tarde de febrero tan húmeda y horrible como todas las transcurridas aquella temporada. Hacía frío y Denise se arrebujó en el abrigo de pieles.

—Apriétate contra mí —dijo Jack, sin mirarla—. Irás mucho mejor.

Denise se mantuvo firme en su sitio, y Jack distendió la boca en una rara sonrisa.

Era un comienzo de luna de miel un poco estúpida, pero Denise Winters no lo consideraba así.

—¿Y bien?

Estaba frente a ella firme, rígido, con las facciones un poco alteradas y los labios entreabiertos.

—Ya te lo dije ayer noche.

—Ayer no eras mi esposa, Deni.

Ella agitó la cabeza con ademán cansado.

—¿Quieres dejarme, Jack? Te lo suplico, es muy tarde.

Sí, era tarde, Jack ya lo sabía. Sabía también que Deni era su mujer, que se habían casado aquel día y que... él deseaba a Denise como jamás había deseado a mujer alguna.

Se lo dijo sin rodeos. Jack era así.

—¿Y no te avergüenzas?

—¿Por qué? —rió Jack, como si estuviera representando un papel que no le pertenecía—. Amor y deseo es una misma cosa.

Ella se tapó los oídos.

—Denise, yo no soy un niño. He conocido a miles de mujeres y he vivido con ellas como mejor me acomodó. Esto quiere decir que...

—Que yo soy como todas.

Jack emitió una risita falsa. Tenía que dar su merecido a Denise y demostrarle que él no era un muñeco. ¿Que la había humillado una vez? Bien, ahora estaban casados. Aquel incidente en otra mujer hubiese sido un acicate más para engrandecer el amor. Denise era una niña y él tenía que enseñarla a ser una mujer.

—No, ciertamente. Tú eres más bonita que ninguna.

—¡Jack!

—Bueno, Denise, no te pongas así. ¿Nunca has tratado con un hombre realmente humano? Pues aquí lo tienes. Y para terminar, pues como tú dices es muy tarde, voy a decir lo siguiente. Lo pensé ayer noche. Por eso hoy acudí a la iglesia. Si no lo pensara así te quedarías compuesta y sin novio. Mira, Deni —añadió, causando el asombro de la joven que no esperaba, ciertamente, aquella súbita reacción—. Yo no soy un caballero como Marco. Si Marco se viera en mi lugar...

—Marco no me habría ofendido jamás.

—Tanto mejor para Marco. Bien, te iba diciendo que yo no me parezco a nadie, Denise. Soy un hombre único. Otro cualquiera en mi lugar hubiese obrado de dos maneras. O bien aplastando tu soberbia o doblegándose a tu capricho. Yo no pienso hacer ninguna de las dos cosas, por ahora... Cuando estemos en el piso, las cosas se verán bajo otro prisma. Ahora estamos en un hotel desconocido de una desconocida ciudad. Y yo te digo esto: o me entregas tu cariño o te quedas sola.

—¿Qué?

—Ya lo he dicho, Denise. O me das toda tu vida en una noche o te quedas sola. Verdad es que me da mucha pena dejarte, pero no hay más remedio.

—¿Te has vuelto loco?

—No, ciertamente —repuso Jack sin, al parecer, importarle mucho la cara de espanto que ponía su esposa—. En primer lugar, Deni, confieso mi derrota. A tu lado y viéndote alejada de mí, no podré soportarte. Y quedándome aquí tendría que doblegarte y como no quiero hacer ninguna de ambas cosas, me voy por ahí hasta que transcurran los quince días que nos hemos señalado para este maravilloso y apasionado viaje de novios.

Y como mostrara intención de salir, Denise, espantada corrió hacia él.

—No puedes dejarme. Me moriría de humillación y de dolor.

—¿Por mí?

—¡Oh, Jack! Nunca pensé que fueras tan duro.

—No soy duro, Denise. Lo que pasa es que soy demasiado blando y no podré permanecer a tu lado sin estar continuamente acariciándote, y como tú te niegas a ser acariciada...

—Jack, eres un grosero.

—Bueno, Deni. El día que me conociste ya me dijiste algo parecido.

—Quédate, Jack. Te lo suplico.

—¿De veras?

Ella se retorció las manos y miró a Jack con ojos extraviados.

—No me apiado de nadie, Deni —dijo él, impasible—. Si me quedo es para quererte y que tú te dejes querer. De otro modo, dentro de quince días vendré por ti.

—¡Márchate! —gritó Denise, desesperadamente—. Nunca pensé que al amor se le pusieran condiciones. ¡Márchate! ¡No quiero verte!

—Ya me voy. Dentro de quince días vendré a buscarte.

Nunca pensó que Jack llevara a efecto la amenaza, y, no obstante, la llevó. La llevó a cabo rigurosamente, como si se tratara de un contrato comercial del que esperaba un buen beneficio. Torturada, agotada por la rabia y el dolor, Denise se mantuvo en la alcoba de aquel hotel, diciéndose si hizo bien al permitirle marchar. Transcurrieron los quince días, y una mañana, Jack se personó en el hotel tan fresco y gentil como siempre.

—Bueno, ya estoy aquí —rió al verla delante con los ojos enfurecidos y la tez pálida—. ¿No has salido nunca, mi dulce esposa? Te advierto que te encuentro delgaducha, pero encantadora de todos modos. ¿Tienes preparadas las maletas? ¡Hum! No me mires así, lady Winters. Tus ojos queman esta mañana y yo, que soy estopa, si por la ventana entra un ligero airecillo, vamos a tener que llamar a los bomberos.

—¡Eres un estúpido! —gritó ella, enfurecida por la pasividad masculina—. Yo no me explico aún dónde tuve los ojos para ver en ti...

—Bueno, Denise, no filosofes ahora, que no tenemos tiempo. Mete todas esas menudencias en el bolso de viaje y marchemos. Me muero de ansiedad por verme en aquel piso íntimo y confortable que el buenazo de mi padre tuvo a bien regalarme con motivo de mi espléndida boda con una mujer deslumbrante.

—Supongo que me dirás dónde has estado.

Jack emitió una risita ahogada.

—Claro que te lo diré, mi dulce lady. No he salido de este poblado. Y si no fueras tan terca y me hubieses acompañado, habrías gozado como yo gocé contemplando los maravillosos paisajes de esta pequeña comarca.

—¿Qué no has ido a ninguna parte? ¿Quieres decir que estuviste en este pueblo?

—A fe mía que sí. Y he dormido quince noches en una cama del piso tercero de este mismo hotel. Me he sentido muy solo —añadió, ocultando la verdad bajo una sonrisa pálida—. Endemoniadamente solo. He soñado todas las noches con tus manos, tus ojos, tus cabellos, tus labios...

—¡Cállate!

—Vaya, por lo visto tienes genio. —Una rápida transición y añadió—: Vamos, querida, ¿te ayudo a meter todo esto en la maleta?

—Por supuesto que sí. Yo sola no podría.

Súbitamente, se fijó en la mano de Denise. Clavó los ojos en el anillo de matrimonio que adornaba uno de sus dedos. En aquel mismo dedo brillaba el solitario que había pertenecido a todos los miembros de la familia Winters. Asió la mano, después el brazo y luego...

—¿Qué haces? ¿Te has vuelto loco?

Denise se hallaba ya en el suelo, y Jack la miraba. El busto femenino cayó hacia atrás y los brazos masculinos la sujetaron vigorosamente.

—¡Todo es mentira, Deni! Todo, todo. No soy un humorista ni un indiferente. Me ha costado casi la vida permanecer lejos de ti.

—Déjame.

—Deni, Deni... ¡Qué cruel eres!

La soltó. ¿Para qué luchar con un imposible?

Las maletas quedaron llenas. El auto los esperaba fuera.

Denise procedía a retocar su rostro ante el espejo. A través de éste, observó a Jack de pie en medio de la estancia.

—Mientras yo termino mi tocado, ve a pagar la factura. Me reuniré contigo enseguida.

Estaba muy hermosa... ¡Oh, sí, muy hermosa! Jack no era de piedra y la amaba. Avanzó unos pasos y sus dos manos cayeron en los hombros femeninos.

—¿Qué quieres?

—Saber lo que has hecho mientras yo estuve haciendo el tonto por ahí.

—Leer.

—¿Sólo eso?

—Sólo eso.

Denise tenía un secreto. Un secreto que formaba parte de la vida de Jack, pero no se lo diría. Era proporcionar demasiada felicidad a un hombre que no la merecía.

Súbitamente, Jack se inclinó, y a través del espejo clavó en Denise una mirada encendida.

—Denise, tengo que darte un beso. Me dejas, ¿verdad?

Ella encogió los hombros. La furia de Jack despertó en aquel instante. La abrazó frenético y el cuerpo de Denise quedó convertido en un ovillo. La besó en la boca cuantas veces quiso. La dejó exhausta.

—Eres...

—Estoy harto de tu indiferencia. Y ahora... Dios santo Deni, temo que no salgamos de aquí sin que antes...

Ella se desprendió de sus brazos con los labios doloridos y le puso ambas manos en el pecho, conteniéndole.

—No avances un paso, Jack. Sería terrible para mí y para ti que ahora, precisamente ahora...

—¿Por qué no? He sido un muñeco, Denise. Estoy cansado, terriblemente cansado de ser un monigote.

Dio un salto. Su rostro, habitualmente indiferente estaba contraído, le brillaban los ojos, tenía la boca fuertemente apretaba y los puños crispados denotaban el esfuerzo que realizaba en aquel instante.

—No puedo soportar por más tiempo tu desprecio. Soy un hombre honrado. He cometido una atrocidad al casarme contigo. Y ahora, Denise, quiero demostrarte que no soy un muñeco.

Lo vio como aquella otra noche, inolvidable. Tuvo miedo, un miedo horrible de verse obligada a aborrecerle cuando ya iba olvidando poco a poco.

Extendió los brazos, pero ya Jack estaba cerca. La estrechó entre los suyos, la retorció y después apoyó su boca en los labios femeninos, túrgidos, sangrantes y húmedos.

—Jack, Jack...

—Me has enloquecido, Denise. Ahora...

Ella aspiró hondo. Echó la cabeza hacia atrás, clavó los ojos en los ojos extraviados de Jack y dijo con un suspiro:

—Suéltame, Jack. Y seamos buenos amigos. Jack..., yo... yo voy a tener un hijo.

—¿Un hijo?

Los brazos del hombre cayeron a lo largo del cuerpo. Toda su imponente figura se encogió y miró a Denise como si se hallara muy lejos de allí. Después, retrocedió hacia la puerta sin dejar de mirarla, y susurró:

—Te espero abajo, cariño. No te demores.

Once

Aunque parezca absurdo, Denise y Jack no cambiaron una sola palabra durante el largo trayecto. Ahora mismo, ambos en el interior del piso, permanecían mudos y rígidos ante la mesa recién servida. Ama, como siempre, preguntó, asomando el rostro embetunado por la rendija de la puerta, si la cena era del agrado de los señoritos. Los dos afirmaron a un tiempo y luego, al cerrarse la puerta, no se miraron. Denise un poco pálida, delicada y exquisita, tenía los ojos bajos y comía lentamente. Frente a ella Jack la miraba de vez en cuando, y comía también con lentitud.

Terminó la comida y Denise se puso en pie.

—Estoy cansada, Jack —advirtió, con naturalidad—. Si no te importa, me retiraré.

Jack quedó maravillado de que Denise no lo mirara con rencor, y al observar que en su acento no había resquemor alguno, se preguntó lo que sentía Denise en aquel instante.

Se puso rápidamente en pie y fue hacia ella.

—Que descanses, Deni. Yo iré un momento hacia la redacción. Quiero llevar las fotografías que saqué en aquel pueblo y hacer un pequeño reportaje.

—No trasnoches —pidió Deni con sencillez.

Jack iba a tocarla. Quizá se disponía a acariciar su mano, pero no se atrevió. Acompañó a Denise hacia la alcoba, y al llegar al umbral, se inclinó hacia ella y murmuró:

—Si necesitas algo, Deni, yo estaré dentro de una hora en la habitación contigua.

—Gracias, Jack.

El periodista se inclinó un poco más y rozó con sus labios los de su esposa. Ésta no retrocedió. Sonrió sutilmente y agitó la mano, diciendo adiós.

Dos horas después, lo sintió llegar. A la mañana siguiente desayunó sola, Jack dejó un papelito escrito diciendo que regresaría al mediodía.

Denise visito a Wallis. La abrazó estrechamente y dijo que era feliz. No recordó para nada el hecho de que esperaba un niño. ¿Para qué? Tal vez nadie la hubiese comprendido.

Así transcurrieron unos días. Jack era cariñoso, amable... Nunca volvió a hablarle de amor. Era como si por el simple hecho de hablar de una cosa tan natural, pudiera ofender a Denise. Y ésta poco a poco fue comprendiendo que amaba a Jack. Lo amaba con la misma intensidad que antes o quizá más. Un día regresaron Joan y Marco. Se instalaron en su palacio y dieron una fiesta.

—¿Piensas ir, Denise? —preguntó Jack, aquella mañana.

—Iremos si tú lo deseas.

—Es casi una obligación.

Algunas horas después, Jack se paseaba por la salita en espera de que apareciera Denise ataviada para asistir a la fiesta. Jack vestía el traje de etiqueta y fumaba nerviosamente. Aquella situación absurda no podría sostenerse mucho tiempo, aunque Denise creyera lo contrario. Jack tenía poca paciencia y amaba... ¡Oh, sí, amaba entrañablemente, con desesperación e intensidad! Era estúpido por su parte que él se mantuviera en aquella pasividad impropia de su temperamento. ¡Oh, si Denise no fuera a tener un hijo! Él obraría de muy distinta forma tanto si a Denise le agradaba como si no.

—¿Vamos, querido?

Miró hacia la puerta y parpadeó. Aquella joven bellísima, de acusada personalidad, era su esposa, le pertenecía... Sonrió casi imperceptiblemente y avanzó un paso, con los ojos obstinadamente clavados en el cuerpo femenino. Espléndido, aprisionado por el tejido suave de un modelo de noche negro, descotado, lucía en el pecho un broche de brillantes.

En torno a la perfecta garganta, de una tersura casi inconcebible, llevaba un hilillo de perlas.

—¿Me encuentras bella? —preguntó con un dejo de coquetería hasta entonces desconocido en ella.

Jack, por toda respuesta, avanzó hacia Deni, la asió del brazo y la besó en los labios apretadamente.

—Me he manchado de «rouge» —comentó luego, con sencillez.

E iba a besarla nuevamente, pero Deni susurró, sujetando con sus dos manos el brazo masculino:

—Déjame, anda, no seas juguetón.

La fiesta resultaba espléndida Joan, en su papel de joven lady, parecía más bella, más exquisita. Marco, a su lado, la contemplaba arrobado como si jamás hubiera visto otra mujer que ella.

Apoyada en el ventanal que caía sobre el jardín, Denise se hallaba oyendo la charla agradable de Max Calhern. Su gemelo bailaba con una linda muchacha y Max se mofaba de su hermano causando la risa de Denise.

—¿Te has fijado, Deni? Joan, perdidamente enamorado de su bello Marco —rió, burlón—, Jim parece que se ha colado con esa joven que le han presentado hoy. Jack... ¡Diablo! ¿Dónde está Jack?

Miró en otras direcciones y Denise lo imitó.

—¡Condenado Jack! —farfulló Max, acentuando su sonrisa—. ¿Te has fijado, Deni? Está bailando con una bella muchacha.

Denise apretó los labios. Miró con intensidad la pareja formada por Jack y... Teresa Aguisal. Ésta, con sus cabellos negrísimos, sus ojos más negros aún y su tez de gitana, coqueteaba con Jack descaradamente. Y ella, entretanto, permanecía allí oyendo los comentarios de Max, como si el hecho de ver a su marido bailando con aquella mujer no le causara sobresalto alguno, cuando la realidad era bien diferente.

Jack la había dejado allí hacía escasamente media hora. Pretextando una sed abrasadora se fue, añadiendo dulcemente: «A ti no te conviene bailar, mi querida lady».

—¿Bailamos, Max? —propuso, bruscamente.

—Denise, ya sabes que a Jack no le gusta que bailes con otros hombres.

—¡Qué tontería, tú eres su hermano! Por otra parte, mi querido Max, él no está perdiendo el tiempo.

—Bueno, yo no asumo ninguna responsabilidad. Porque, ¿sabes?, cuando Jack se enfurece es capaz de romper la cara a cualquiera, aunque sea su hermano.

Denise pensó que sería delicioso ver a Jack enfurecido.

Y bailó con Max y luego con Marco. Jack parecía ajeno a todo. Continuaba con Teresa Aguisal y diríase que no veía a su esposa bailando ahora con Jim.

De súbito, Joan se aproximó a Denise en un momento en que la orquesta cesaba de tocar.

—Denise.

—¡Ah, estás ahí, querida! ¿Qué tal el viaje de novios?

—Maravilloso. ¿Qué me dices del tuyo?

—¡Oh! —susurro Denise, burlonamente—. Fantástico. He tenido a Jack pegado a mí durante quince hermosos días. Te aseguro que no supe lo que era estar un minuto sola.

Joan se removió inquieta. Conocía bien a Denise. Observaba en ella cierto nerviosismo y sabía que bajo aquella burla se ocultaba una tormenta pronta a estallar.

—¿Has visto a Jack bailando con esa estúpida?

—Sí, claro que sí.

—¿Y lo consientes?

—¡Bah! Yo también estoy bailando. ¿No ves que la vida de hoy es así? Ahora lo haré con tu marido.

En efecto, Marco la enlazó por la cintura y le dijo, conduciéndola al torbellino de la danza:

—No me pareces, muy feliz, Denise. ¿Habrás equivocado el camino?

—Creo que no.

En aquel instante sintió los ojos agudos de Jack clavados en su rostro. Sintió un estremecimiento recorrerla toda. Las pupilas de Jack no eran precisamente muy tranquilizadoras.

—Tengo entendido que a Jack no le agrada que bailes.

—Él no lo está pasando muy mal.

Jack estaba tras ellos. Solo, con los ojos brillantes por la rabia. Había visto a Denise bailar con Max, con Jim. Con Marco después. Ahora...

—Denise, deja a ese tonto y vayámonos.

—Oye, Jack, no te consiento...

Denise sintió miedo. Miró a Marco y después a Jack.

—He dicho que eres un tonto, Marco. Y lo repetiré cuantas veces sea preciso. Deja a mi esposa y lárgate con la tuya. Denise y yo nos vamos ahora mismo.

—¿Y dónde dejas a Teresa Aguisal?

—Que la parta un rayo —farfulló Jack, apretando nerviosamente el brazo de su mujer que emitió un ¡ay! de dolor.

Marco lo miró por un instante y después soltó la risa.

—Eres un bruto, Jack —comentó, sin resquemor—. Llévatela, pero no la mates. Yo os disculparé diciendo que Denise se encuentra cansada.

—Pero si es que yo no pienso marchar —arguyó ella.

Los dedos nerviosos de Jack se apretaron en el brazo desnudo. Inclinó la cabeza y sus ojos de fuego quemaron el rostro femenino.

—Nos vamos ahora mismo, ¿me oyes, Denise? En este instante. Y si te niegas será un agradable espectáculo para los asistentes a la fiesta.

—No puedes obligarme...

—¿Que no puedo?

Se hallaban en la misma puerta de la terraza. Nadie los miraba, excepto Teresa Aguisal, que sonreía burlonamente. Deni sintió aquella sonrisa como si fuera una bofetada. Súbitamente, se colgó del brazo de Jack y susurró, muy cerca de él:

—Nos vamos ahora mismo, querido. En realidad, lo estoy deseando.

Jack parpadeó varias veces, sin comprenderla. Marco emitió una risita ahogada y opinó:

—Sois dos niños. Hala, ahí tenéis el coche.

El trayecto lo hicieron en silencio, enfurruñados. Sentados uno al lado del otro, parecían dos enemigos. De pronto, dijo él:

—¿Sabes lo que has adelantado con bailar?

—Supongo que lo que tú.

—¿Lo que yo? ¿Acaso has creído que lo hacía por gusto?

—Al menos lo parecía.

Jack la miró en rápida ojeada.

—No tenía ningún deseo de bailar con la Aguisal. Pero ella me buscó y yo soy un caballero.

—Ya. No lo eres mucho cuando descubres un secreto femenino.

—¡Diantre, Denise! Hoy estás muy rara. ¿Vas a decirme que tienes celos?

Ella no respondió. Se sentía, ciertamente, muy celosa, no sólo de Teresa Aguisal, sino de cualquier mujer que mereciera la admiración de su marido.

—No tengo celos.

—Vaya, creí que no contestabas.

Jack detuvo el auto y saltó a la acera.

—Te acompañaré hasta casa y luego iré a la redacción.

El corazón de Denise dio un vuelco en el pecho.

—¿Que te vas solo? ¿De veras crees que lo voy a consentir?

—Supongo que no tendrás miedo.

—No se trata de miedo, Jack —casi chilló Denise—. Es que no permitiré que te vayas solo. ¿Piensas que voy a creer eso de la redacción? Has dejado todo solucionado esta tarde, Jack. Tu secretario hará lo que tú hubieses hecho. Lo que ahora deseas es reunirte con la Aguisal.

Jack rió de buena gana.

—Anda, sube los escalones y entra en el ascensor. Yo vendré enseguida.

Los ojos de Denise se llenaron de lágrimas.

—Jack —susurró—, si te vas y me dejas sola ahora, juro que jamás... jamás...

—¿Jamás, qué? ¿Acaso me has dado algo? No puedes decir que me lo vas a quitar, porque nunca me diste nada, Deni. Ésa es la verdad, la maldita verdad.

—Eres un grosero.

—Bueno, ya me lo has dicho muchas veces. Ahora..., hasta luego, Deni.

—Nunca, nunca te lo perdonaré —gimió Denise, sin poder contener el torrente de lágrimas que empañaba sus ojos.

La sombra de Jack se perdía en el portal y luego en la noche. Sintió el motor del auto y, entonces, la pobre Denise, que había jugado a dominar y era dominada, prorrumpió en fuertes y ahogados sollozos.

Llegó al piso, se arrojó sobre el lecho y lloró con desesperación, amargamente.

Jack suspiró.

En realidad, no había ido a ninguna parte. La verdad es que no tenía intención de ir cuando se lo dijo a ella. Pero aun cuando la tuviera, tras de oírla llorar, no hubiese ido. Encerró el auto en el garaje y subió de dos en dos los escalones. Con mucho sigilo abrió la puerta y se hundió en una butaca en su propio cuarto. Sintió los sollozos de Denise traspasar el tabique, pero no hizo nada por consolarla.

Era preciso que Denise llorara un poquito. También él vivía desesperado a causa de su terquedad. ¿Cómo era posible que un hombre como él, fuerte, batallador e impulsivo, se mantuviera en aquella indiferencia? Era una forma de ataque como otra cualquiera. Jack era un buen psicólogo e iba poco a poco penetrando en las pequeñas debilidades de la hermosa lady Winters.

Terminó el cigarrillo, lo aplastó contra el cenicero y se puso en pie. Dio un paso al frente. Se dirigía sin duda alguna hacia la puerta de comunicación. Nunca lo había hecho hasta aquella noche y pensaba hallar la puerta cerrada. Si era así, ciertamente echaría la puerta abajo. Jack estaba terriblemente cansado de todo aquello. La situación era absurda, inconcebible, y él no podría soportarla un minuto más.

Dio otro paso, otro más. Puso la mano en el pomo y lo movió. Sus ojos se agrandaron: la puerta estaba sencilla y maravillosamente abierta. ¿Desde cuándo? ¿Acaso lo había estado siempre? Se pasó una mano por la frente, limpió el sudor imaginario y después apretó los labios.

La puerta cedió lentamente.

Una figura toda gasas y cabello se irguió en el lecho.

—¿Quién anda ahí?

—Ningún extraño, por supuesto —contestó Jack, avanzando resuelto y firme.

—¿Tú?

—Creí que la puerta estaba cerrada, Denise —comentó con sencillez.

—Nunca la he cerrado —repuso la joven con idéntico acento.

Jack se maravilló de que su esposa no se enojara por su presencia. Denise saltó al suelo y se cubrió rápidamente con un batín. Estaba sencillamente encantadora. Jack parpadeó varias veces y se aproximó a ella, la cogió por la cintura y dijo:

—En realidad, Denise, no podía aguantar un minuto más.

Los brazos de la joven se elevaron. Aprisionó el cuello de Jack, le ofreció sus labios y dijo ahogadamente:

—Yo tampoco, cariño.

¿Cuántas horas habían transcurrido? Los primeros rayos de sol penetraban por la ventana. Jack, en batín, daba vueltas por la estancia. Denise, sentada ante el tocador, se cepillaba el cabello.

—He sido un estúpido, Deni.

—¿Sí? ¿Cuándo lo has descubierto?

—El día que me casé contigo.

—Yo lo descubrí el día que me casé contigo.

—¡Denise!

Fue hacia ella y la estrechó entre sus brazos. Denise se colgó de su cuello:

—¡Oh, Jack, qué tiempo perdido más estúpidamente!

—¿Perdido? ¿Y ahora?

Surgió el beso; después, Jack se apartó para encender un cigarrillo.

—No quiero que bailes jamás con Teresa Aguisal.

Jack soltó la carcajada.

—Pero tontísima, si la pobre Teresita va a casarse con su primo Ernesto.

Se aproximó a Denise y se sentó a su lado en el diván. La apretó contra su cuerpo y hundió los ojos en los de la joven, que brillaban acariciadores, como jamás habían brillado.

—Tengo que confesar, Deni, mi gran culpa. Ayer mentí. La pobre Teresa no tenía intención alguna de bailar conmigo, pero como yo sabía que la odiabas...

—Pretendías darme celos.

—¿Y no te los di?

—¡Dios mío, sí, feroces, horribles! Nunca he sufrido tanto como ayer noche.

—Ahora se acabó.

Tal vez iba a besarla nuevamente, cuando sonaron unos golpecitos en la puerta.

—Lady Watson acaba de llegar, señora.

—Que pase aquí mismo, Polly— repuso Denise, poniéndose rápidamente en pie.

Se abrió la puerta y una Joan elegantísima se perfiló en el umbral. Los miró primero con temor; después, soltó una carcajada:

—¿Qué te pasa, nueva lady? —preguntó Jack, burlón.

—Venía dispuesta a regañaros y resulta que no es necesario.

—Me iré para que podáis hablar a solas.

Se aproximó a Denise y la besó en los labios descaradamente. Después palmeó el rostro de su hermana y salió riendo aún.

—Bueno —comentó Joan, reclinándose en el diván—. Pensé que no teníais solución, pero ya veo que no es preciso que os regañe. Me dijo Marco ayer noche que las cosas no iban muy bien entre vosotros y por un momento experimenté un miedo terrible, Denise.

—Nos reconciliamos ayer mismo, Joan. En realidad, Marco tenía razón. —Y con voz temblorosa contó a su amiga todo lo sucedido desde la noche que fue a la redacción.

Joan la contempló dulcemente y apretó las manos delgadas y finas de Denise.

—No me cuentas nada nuevo, Denise.

—¿Qué?

—¡Oh, no te enfades! En realidad, Marco y yo lo adivinamos enseguida. Jack es un bruto y tú una impulsiva. Bien, todo eso pasó a la historia. Ahora a quererse y a vivir tranquilas las dos parejas.

—¿Es que también lo sabe Lewis? —preguntó Denise, muy pálida.

—Claro que no. Nosotros estamos enamorados también, Denise. Lo supimos porque estaba asombrosamente claro. Jack fue a pedir tu mano casi sin dejarnos respirar. Buscó a papá como un loco y después no vivió tranquilo hasta que se casó. No creas que a Jack se le comprende muy bien. Bajo su humorismo oculta su verdadero yo. Y eres tú quien debe encontrarlo. Jack ha sufrido desesperadamente. Yo le he visto pasar las noches en blanco y vagar luego por la casa como un sonámbulo. Había algo entre vosotros, algo terrible. Lo adiviné enseguida. Y cuando Marco llegó a buscarme aquella mañana y me dijo que tú no estabas en casa y que apareciste bastante después..., comprendí y comprendió lo sucedido. Pero no te aflijas. Es un secreto de enamorados que guardaremos celosamente. Mas si vuelves a nacer, hija mía —rió Joan, juguetona—, procura no hacer salidas nocturnas; son peligrosas.

Deni se puso en pie y besó a Joan.

—Somos felices, Joan —comentó suavemente—. Nunca pensé que después de casadas pudiéramos estar tan juntas. Amas mucho a Marco, ¿verdad?

Los ojos de Joan brillaron.

—¡Dios mío, lo amo intensa y locamente! Ya esperamos un hijo, ¿sabes? Será un pequeño lord muy gracioso y tan bello como su padre.

Denise se maravilló de que todo se solucionara de aquel modo tan sencillo.

—Yo también voy a tenerlo, Joan —susurró ilusionada.

Cuando al fin Joan se marchó, Jack apareció de nuevo en la estancia recién bañado, vestido para salir a la calle y con una sonrisa radiante en el rostro.

—¿Adónde vas, cariño? —susurró, corriendo hacia él y apretándose mimosa contra el cuerpo un poco desgarbado, pero tan querido de su salvajísimo Jack.

—Voy a ver a Wallis, que ha tenido un niño y nosotros aquí tan tranquilos.

—¿Y lo dices así?

—¿Cómo quieres que lo diga?

Se colgó de su cuello y Jack la besó apasionadamente.

—Iré contigo —dijo después, con acento ahogado—. Soy feliz, Jack. Yo espero otro niño, Joan también y Wallis lo ha tenido ya. ¿Te das cuenta, cariño? ¡Oh, Jack! ¿Cómo es posible que me dejaras ser tan tonta? ¿Cómo es posible que esperaras tanto para domeñar mi estúpido orgullo?

Jack se balanceó sobre sus piernas.

—Bueno, me estás asediando, Denise. Ya estoy francamente cansado de tanto cariño.

—Nunca cambiarás, Jack. Nunca, nunca, pero yo te amo porque eres así. ¡Porque eres así!

Quedaron muy callados mirándose. De pronto Jack la aprisionó entre sus brazos y musitó:

—Creo que nos parecemos mucho, pequeña lady: por eso nos amamos tanto.

Ella hundió la mirada en los ojos de Jack y repuso bajo, muy bajito, arrebujándose mimosa contra él:

—Sí, nos parecemos mucho; por eso nos amamos tanto. Quiero que mi hijo sea como tú. ¡Igual que tú!

Otros títulos de Corín Tellado
en Punto de Lectura

La boda de Ivonne

La joven Ivonne Fossey trabaja en una clínica privada a las órdenes del mezquino doctor Kleibert. Éste se encapricha con su empleada y trata de seducirla por todos los medios, consiguiendo solamente que ella le desprecie. Pero Ivonne se halla en una difícil situación familiar: su tía anciana está enferma y sólo Hans Kleibert puede operarla. Así que, para salvar a su tía, debe acceder a una boda con un hombre al que aborrece.

Corín Tellado (Asturias, 1926) ha escrito a lo largo de su carrera entre 4.000 y 5.000 novelas. Como dijo el escritor cubano Guillermo Cabrera Infante, es la autora española más leída de todos los tiempos, después de Cervantes.

Boda clandestina

Ketty Iwahinosky es una joven de veinte años que vive una situación muy complicada: es huérfana y debe hacerse cargo de sus dos hermanos pequeños y de la empresa familiar, unos importantes astilleros. El testamento que dejó su padre le impide casarse antes de los veinticinco años y su madrastra vigila todos sus movimientos. Cuando conoce a Roberto, un ingeniero completamente desengañado del amor que no quiere ni oír hablar de las mujeres, una oleada de sentimientos desconocidos se apodera de ella.

Corín Tellado (Asturias, 1926) ha escrito a lo largo de su carrera entre 4.000 y 5.000 novelas. Como dijo el escritor cubano Guillermo Cabrera Infante, es la autora española más leída de todos los tiempos, después de Cervantes.

Otros títulos de Romántica

La imprudente
Amanda Quick

Río de pasiones
Kathleen Woodiwiss

Condena de amor
Virginia Henley

Amor en el castillo
Christina Dodd

No olvides el pasado
Jude Deveraux

Pasión en la abadía
Christina Dodd